#3주_완성
#쉽게
#빠르게
#재미있게

초등
수학 전략

Chunjae
Makes
Chunjae

▼

[수학 전략]

기획총괄	김안나
편집개발	이근우, 김정희, 서진호, 한인숙, 김현주, 최수정, 김혜민, 박웅, 김정민
디자인총괄	김희정
표지디자인	윤순미, 안채리
내지디자인	박희춘
제작	황성진, 조규영

발행일	2022년 5월 15일 초판 2022년 5월 15일 1쇄
발행인	(주)천재교육
주소	서울시 금천구 가산로9길 54
신고번호	제2001-000018호
고객센터	1577-0902

수학전략

초등 수학 **5-2**

이 책의 **구성과 특징** ── 3주 완성

핵심 개념

단원별로 꼭 필요한 핵심 개념을 만화를 보면서
재미있게 익힐 수 있도록 하였습니다.

개념 돌파 전략❶, ❷

개념 돌파 전략❶에서는 단원별로
기본적인 개념을 설명하고 개념의 기초를 확인하는
문제를 제시하였습니다.
개념 돌파 전략❷에서는 기본적인 개념을 알고 있는지
문제로 확인할 수 있습니다.

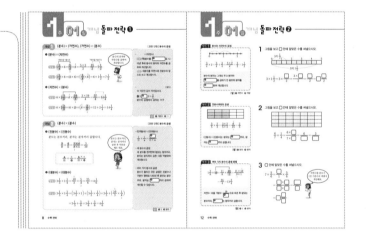

필수 체크 전략❶, ❷

필수 체크 전략❶에서는 단원별로
중요한 유형을 선택하여 반복 연습할 수 있도록
하였습니다.
필수 체크 전략❷에서는 추가적으로
중요한 유형을 선택하여 문제로 확인할 수 있도록
하였습니다.

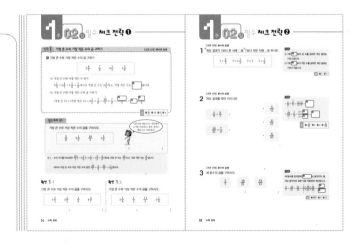

교과서 대표 전략❶, ❷

교과서 대표 전략❶에서는 단원별로 교과서에 나오는
대표적인 문제를 제시하였습니다.
교과서 대표 전략❷에서는 한 번 더 확인할 수 있는
문제를 제시하였습니다.

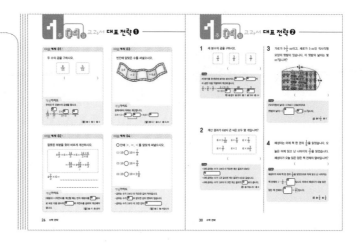

누구나 만점 전략
창의·융합·코딩 전략❶, ❷

누구나 만점 전략에서는 단원별로 꼭 풀어야 하는
문제를 제시하여 누구나 만점을 받을 수 있도록 하였습니다.
창의·융합·코딩 전략에서는 새 교육과정에서 제시하는
창의, 융합, 코딩 문제를 쉽게 접근할 수 있도록
제시하였습니다.

권말정리 마무리 전략
신유형·신경향·서술형 전략
학력진단 전략 1~3회

권말정리 마무리 전략은 만화로
마무리할 수 있게 하였습니다.
신유형·신경향·서술형 전략에서는
신유형, 신경향, 서술형 문제를 쉽게 풀 수
있도록 단계별로 제시하였습니다.
학력진단 전략은 총 3회로 전 단원의 학력을
진단할 수 있도록 구성하였습니다.

이 책의 **차 례**

분수의 곱셈, 소수의 곱셈

$$\frac{4}{5} \times \frac{2}{3} = \frac{4 \times 2}{5 \times 3} = \frac{8}{15}$$

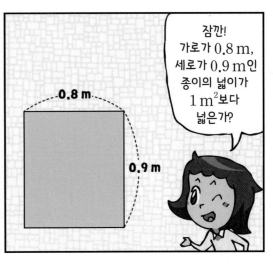

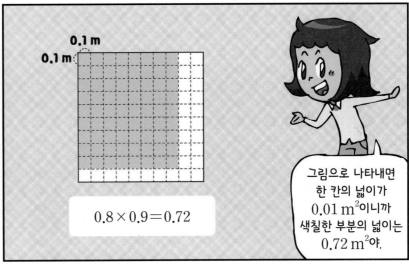

$$0.8 \times 0.9 = 0.72$$

개념 1 (분수) × (자연수), (자연수) × (분수)

[관련 단원] 분수의 곱셈

● (분수) × (자연수)

분수의 분자와 자연수를 곱하여 계산합니다.

대분수를 가분수로 / 가분수를 대분수로

방법1 $1\dfrac{1}{4} \times 6 = \dfrac{5}{\cancel{4}_2} \times \cancel{6}^3 = \dfrac{5 \times 3}{2} = \dfrac{15}{2} = 7\dfrac{1}{2}$

방법2 $1\dfrac{1}{4} \times 6 = (1 \times 6) + \left(\dfrac{1}{\cancel{4}_2} \times \cancel{6}^3\right) = 6 + 1\dfrac{1}{2} = 7\dfrac{1}{2}$

● (자연수) × (분수)

방법1 $6 \times 2\dfrac{3}{8} = \cancel{6}^3 \times \dfrac{19}{\cancel{8}_4} = \dfrac{3 \times 19}{4} = \dfrac{57}{4} = 14\dfrac{1}{4}$

방법2 $6 \times 2\dfrac{3}{8} = (6 \times 2) + \left(\cancel{6}^3 \times \dfrac{3}{\cancel{8}_4}\right) = 12 + 2\dfrac{1}{4} = 14\dfrac{1}{4}$

• (대분수) × (자연수)

방법1 대분수를 ❶ 〔　　　〕로 나타낸 후에 분수의 분자와 자연수를 곱하여 계산합니다.

방법2 대분수를 자연수와 진분수의 합으로 보고 계산합니다.

• 분수의 곱셈에서 곱하는 수가 1보다 더 작으면 값이 작아집니다.

예 5 ❷ 〔　〕 $5 \times \dfrac{3}{4}$

답 ❶ 가분수 ❷ >

개념 2 (분수) × (분수)

[관련 단원] 분수의 곱셈

● (진분수) × (진분수)

분모는 분모끼리, 분자는 분자끼리 곱합니다.

$$\dfrac{3}{8} \times \dfrac{4}{5} = \dfrac{3 \times \cancel{4}^1}{\cancel{8}_2 \times 5} = \dfrac{3}{10}$$

분모는 분모끼리, 분자는 분자끼리 곱한 후 약분을 해도 돼요.

$$\dfrac{\blacktriangle}{\blacksquare} \times \dfrac{\bigstar}{\bullet} = \dfrac{\blacktriangle \times \bigstar}{\blacksquare \times \bullet}$$

● (대분수) × (대분수)

방법1 $3\dfrac{1}{3} \times 1\dfrac{1}{4} = \dfrac{\cancel{10}^5}{3} \times \dfrac{5}{\cancel{4}_2} = \dfrac{25}{6} = 4\dfrac{1}{6}$

방법2 $3\dfrac{1}{3} \times 1\dfrac{1}{4} = \left(3\dfrac{1}{3} \times 1\right) + \left(3\dfrac{1}{3} \times \dfrac{1}{4}\right) = 3\dfrac{1}{3} + \left(\dfrac{\cancel{10}^5}{3} \times \dfrac{1}{\cancel{4}_2}\right)$

$= 3\dfrac{1}{3} + \dfrac{5}{6} = 3\dfrac{2}{6} + \dfrac{5}{6} = 4\dfrac{1}{6}$

• (단위분수) × (단위분수)

$$\dfrac{1}{\blacksquare} \times \dfrac{1}{\blacktriangle} = \dfrac{❶\;〔\;〕}{\blacksquare \times \blacktriangle}$$

• 세 분수의 곱셈
세 분수를 한꺼번에 분모는 분모끼리, 분자는 분자끼리 곱한 다음 약분하여 계산합니다.

• 여러 가지 분수의 곱셈
분수가 들어간 모든 곱셈은 진분수나 가분수 형태로 나타낸 후 분모는 분모끼리, 분자는 ❷ 〔　　　〕끼리 곱하여 계산할 수 있습니다.

답 ❶ 1 ❷ 분자

1-1 ☐ 안에 알맞은 수를 써넣으시오.

$$1\frac{1}{8} \times 12 = \frac{\boxed{}}{8} \times 12 = \frac{\boxed{} \times \overset{3}{\cancel{12}}}{\underset{2}{8}}$$

$$= \frac{\boxed{}}{2} = \boxed{}\frac{\boxed{}}{\boxed{}}$$

• **풀이** • 대분수와 자연수의 곱셈을 할 때는 대분수를 ❶ ☐ 분수로 바꾼 후

분수의 ❷ ☐ 와 자연수를 곱합니다.

답 ❶ 가 ❷ 분자

1-2 ☐ 안에 알맞은 수를 써넣으시오.

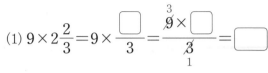

(1) $9 \times 2\frac{2}{3} = 9 \times \frac{\boxed{}}{3} = \frac{\overset{3}{\cancel{9}} \times \boxed{}}{\underset{1}{3}} = \boxed{}$

(2) $5\frac{5}{6} \times 3 = \frac{\boxed{}}{6} \times 3 = \frac{\boxed{} \times \overset{1}{\cancel{3}}}{\underset{2}{6}}$

$$= \frac{\boxed{}}{2} = \boxed{}\frac{\boxed{}}{\boxed{}}$$

2-1 ☐ 안에 알맞은 수를 써넣으시오.

$$\frac{1}{8} \times \frac{1}{3} = \frac{1 \times \boxed{}}{8 \times \boxed{}} = \frac{\boxed{}}{\boxed{}}$$

• **풀이** • 진분수끼리의 곱셈은 분모는 ❶ ☐ 끼리, 분자는 ❷ ☐

끼리 곱합니다.

답 ❶ 분모 ❷ 분자

2-2 ☐ 안에 알맞은 수를 써넣으시오.

$$\frac{5}{6} \times \frac{7}{10} = \frac{\overset{1}{\cancel{5}} \times \boxed{}}{6 \times \underset{2}{\cancel{10}}} = \frac{\boxed{}}{\boxed{}}$$

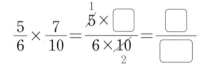

계산 과정에서 약분할 수 있으면 약분해서 계산해요.

3-1 ☐ 안에 알맞은 수를 써넣으시오.

$$1\frac{1}{2} \times 3\frac{1}{5} = \frac{\boxed{}}{2} \times \frac{16}{\boxed{}} = \frac{\boxed{} \times \overset{\boxed{}}{\cancel{16}}}{\underset{\boxed{}}{2} \times \boxed{}}$$

$$= \frac{\boxed{}}{\boxed{}} = \boxed{}\frac{\boxed{}}{\boxed{}}$$

• **풀이** • 대분수끼리의 곱셈은 대분수를 ❶ ☐ 분수로 바꾼 후 분모는

❷ ☐ 끼리, 분자는 분자끼리 곱합니다.

답 ❶ 가 ❷ 분모

3-2 ☐ 안에 알맞은 수를 써넣으시오.

$$3\frac{3}{5} \times 1\frac{4}{9} = \frac{18}{\boxed{}} \times \frac{\boxed{}}{9} = \frac{\overset{\boxed{}}{\cancel{18}} \times \boxed{}}{\boxed{} \times \underset{\boxed{}}{\cancel{9}}}$$

$$= \frac{\boxed{}}{\boxed{}} = \boxed{}\frac{\boxed{}}{\boxed{}}$$

개념 3 (소수)×(자연수), (자연수)×(소수)

[관련 단원] 소수의 곱셈

- **(소수)×(자연수)**

$$0.3 \times 4 = \frac{3}{10} \times 4 = \frac{3 \times 4}{10} = \frac{12}{10} = 1.2$$

소수를 분수로 나타내어 분수의 곱셈으로 계산합니다.

- **(자연수)×(소수)**

$$4 \times 0.7 = 4 \times \frac{7}{10} = \frac{4 \times 7}{10} = \frac{28}{10} = 2.8$$

- 0.3×4를 덧셈식으로 계산하기

  $$0.3 \times 4 = 0.3 + 0.3 + 0.3 + 0.3$$
  $$= \boxed{❶}$$

- 4×0.7을 자연수의 곱셈으로 계산하기

  $$4 \times 7 = 28$$
  $\frac{1}{10}$배 ↘ $\frac{1}{10}$배
  $$4 \times 0.7 = \boxed{❷}$$

답 ❶ 1.2 ❷ 2.8

개념 4 (소수)×(소수)

[관련 단원] 소수의 곱셈

- **(소수)×(소수)**

방법 1
분수의 곱셈으로 계산하기

$$1.2 \times 1.3 = \frac{12}{10} \times \frac{13}{10}$$
$$= \frac{156}{100} = 1.56$$

방법 2
자연수의 곱셈으로 계산하기

$$12 \times 13 = 156$$
$\frac{1}{10}$배 ↓ $\frac{1}{10}$배 ↓ $\frac{1}{100}$배
$$1.2 \times 1.3 = 1.56$$

- 소수의 크기를 생각하여 계산하기

  예 $12 \times 13 = \boxed{❶}$ 인데 1.2에 1.3을 곱하면 1.2보다 조금 큰 값이 나와야 하므로 계산 결과는 $\boxed{❷}$ 입니다.

답 ❶ 156 ❷ 1.56

개념 5 곱의 소수점 위치

[관련 단원] 소수의 곱셈

- **자연수와 소수의 곱셈에서 곱의 소수점 위치 변화**

$$3.27 \times 1 = 3.27$$
$$3.27 \times 10 = 32.7$$
$$3.27 \times 100 = 327$$
$$3.27 \times 1000 = 3270$$

$$3270 \times 1 = 3270$$
$$3270 \times 0.1 = 327.0$$
$$3270 \times 0.01 = 32.70$$
$$3270 \times 0.001 = 3.270$$

- **소수의 곱셈에서 곱의 소수점 위치 변화**

  곱하는 두 수의 소수점 아래 자리 수를 더한 것과 결괏값의 소수점 아래 자리 수가 같습니다.

  예
  $$\begin{array}{r} 0.8 \\ \times\ 0.3 \\ \hline 0.2\,4 \end{array}$$
  — 소수 한 자리 수
  — 소수 한 자리 수
  — 소수 두 자리 수

- 자연수와 소수의 곱셈
  ① 곱하는 수의 0이 하나씩 늘어날 때마다 곱의 소수점이 $\boxed{❶}$ 쪽으로 한 자리씩 옮겨집니다.
  ② 곱하는 소수의 소수점 아래 자리 수가 하나씩 늘어날 때마다 곱의 소수점이 $\boxed{❷}$ 쪽으로 한 자리씩 옮겨집니다.

- 곱의 소수점 아래 마지막 숫자가 0인 경우에는 0을 생략할 수 있으므로 주의합니다.

  예 $\underset{\text{소수}}{0.6} \times \underset{\text{소수}}{0.5} = \underset{\text{소수}}{0.30}$
  한 자리 수 한 자리 수 한 자리 수

답 ❶ 오른 ❷ 왼

4-1 ☐ 안에 알맞은 수를 써넣으시오.

$$3.4 \times 8 = \dfrac{\boxed{}}{10} \times 8 = \dfrac{\boxed{} \times \boxed{}}{10}$$

$$= \dfrac{\boxed{}}{10} = \boxed{}$$

• **풀이** • 소수 한 자리 수를 분모가 **❶** ☐ 인 분수로 나타낸 후 분수의 분자와

❷ ☐ 를 곱하여 계산하고 계산 결과를 소수로 나타냅니다.

답 **❶** 10 **❷** 자연수

4-2 ☐ 안에 알맞은 수를 써넣으시오.

$$1.2 \times 6 = \dfrac{\boxed{}}{10} \times \boxed{} = \dfrac{\boxed{} \times \boxed{}}{10}$$

$$= \dfrac{\boxed{}}{10} = \boxed{}$$

5-1 보기 와 같이 자연수의 곱셈으로 계산하시오.

보기

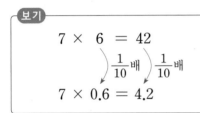

$$7 \times 6 = 42$$
$$\searrow \dfrac{1}{10}배 \searrow \dfrac{1}{10}배$$
$$7 \times 0.6 = 4.2$$

$$6 \times 19 = 114$$
$$\searrow \dfrac{1}{10}배 \searrow \dfrac{1}{10}배$$
$$6 \times 1.9 = \boxed{}$$

• **풀이** • 곱하는 수가 $\dfrac{1}{10}$ 배이면 계산 결과가 $\dfrac{1}{\boxed{❶}}$ 배이므로 6×1.9의

계산 결과는 114의 $\dfrac{1}{\boxed{❷}}$ 배입니다. 답 **❶** 10 **❷** 10

5-2 보기 와 같이 자연수의 곱셈으로 계산하시오.

보기

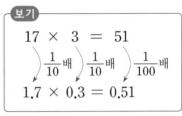

$$17 \times 3 = 51$$
$$\searrow \dfrac{1}{10}배 \searrow \dfrac{1}{10}배 \searrow \dfrac{1}{100}배$$
$$1.7 \times 0.3 = 0.51$$

곱해지는 수와 곱하는 수가 어떻게 변했는지 확인해요.

$$52 \times 12 = 624$$
$$\searrow \dfrac{1}{10}배 \searrow \dfrac{1}{10}배 \searrow \boxed{} 배$$
$$5.2 \times 1.2 = \boxed{}$$

6-1 ☐ 안에 알맞은 수를 써넣으시오.

$$486 \times 1 = 486$$
$$486 \times 0.1 = 48.6$$
$$486 \times 0.01 = \boxed{}$$
$$486 \times 0.001 = \boxed{}$$

• **풀이** • 486×0.01은 48.6의 소수점이 **❶** ☐ 쪽으로 한 자리 옮겨진

❷ ☐ 입니다. 답 **❶** 왼 **❷** 4.86

6-2 ☐ 안에 알맞은 수를 써넣으시오.

$$1234 \times 2 = 2468$$
$$1234 \times 0.2 = \boxed{}$$
$$1234 \times 0.02 = \boxed{}$$
$$1234 \times 0.002 = \boxed{}$$

예제 1 분수와 자연수의 곱셈

$$\frac{3}{4} \times 2 = \frac{3}{4} + \frac{3}{4} = \frac{3 \times \overset{1}{2}}{\underset{2}{4}} = \frac{3}{2} = 1\frac{1}{2}$$

분수의 분모는 그대로 두고 분자와

❶ 　　　　를 곱하기 전 분모와 분자를

❷ 　　　　하여 계산합니다.

[답] ❶ 자연수 ❷ 약분

1 그림을 보고 ☐ 안에 알맞은 수를 써넣으시오.

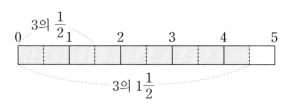

$$3 \times 1\frac{1}{2} = 3 \times \frac{\boxed{}}{2} = \frac{3 \times \boxed{}}{2} = \frac{\boxed{}}{2} = \boxed{}\frac{\boxed{}}{2}$$

예제 2 진분수끼리의 곱셈

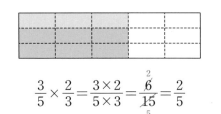

$$\frac{3}{5} \times \frac{2}{3} = \frac{3 \times 2}{5 \times 3} = \frac{\overset{2}{6}}{\underset{5}{15}} = \frac{2}{5}$$

(진분수)×(진분수)는 분모는 ❶ 　　　　끼리, 분자는 ❷ 　　　　끼리 곱합니다.

[답] ❶ 분모 ❷ 분자

2 그림을 보고 ☐ 안에 알맞은 수를 써넣으시오.

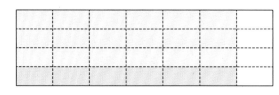

$$\frac{6}{7} \times \frac{1}{4} = \frac{6 \times \boxed{}}{7 \times \boxed{}} = \frac{6}{\boxed{}} = \frac{3}{\boxed{}}$$

예제 3 여러 가지 분수의 곱셈 방법

$$1\frac{3}{8} \times 10 = \frac{11}{8} \times \frac{10}{1} = \frac{11 \times \overset{5}{10}}{\underset{4}{8} \times 1}$$

$$= \frac{55}{4} = 13\frac{3}{4}$$

자연수 10을 가분수 $\frac{10}{❶}$ 으로 바꾼 후 분모는

분모끼리, ❷ 　　　　는 분자끼리 곱합니다.

[답] ❶ 1 ❷ 분자

3 ☐ 안에 알맞은 수를 써넣으시오.

$$7 \times \frac{5}{6} = \frac{\boxed{}}{1} \times \frac{5}{6}$$

$$= \frac{\boxed{} \times \boxed{}}{\boxed{} \times \boxed{}} = \frac{\boxed{}}{\boxed{}}$$

$$= \boxed{}\frac{\boxed{}}{\boxed{}}$$

자연수를 분모가 1인 가분수로 바꿔서 계산해요.

예제 4 소수와 자연수의 곱셈

$$16 \times 0.6 = 16 \times \frac{6}{10} = \frac{16 \times 6}{10}$$

$$= \frac{96}{10} = 9.6$$

소수를 **❶**〔　〕로 바꾸어 자연수와 분수의 곱셈

을 한 후 계산 결과를 **❷**〔　〕로 나타냅니다.

[답] ❶ 분수 ❷ 소수

4 보기와 같은 방법으로 계산하시오.

보기

$$0.13 \times 25 = \frac{13}{100} \times 25 = \frac{13 \times 25}{100} = \frac{325}{100} = 3.25$$

$0.32 \times 9 =$

_____

_____

예제 5 소수끼리의 곱셈

$$\begin{array}{r} 17 \\ \times\ 8 \\ \hline 136 \end{array} \Rightarrow \begin{array}{r} 1.7 \\ \times\ 0.8 \\ \hline 1.3\,6 \end{array}$$ — 1보다 작습니다.
— $1.7 \times 1 = 1.7$보다 작습니다.

$17 \times 8 =$ **❶**〔　〕인데 1.7에 0.8을 곱하면

$1.7 \times 1 = 1.7$보다 작은 값이 나와야 하므로

$1.7 \times 0.8 =$ **❷**〔　〕입니다.

[답] ❶ 136 ❷ 1.36

5 계산을 하시오.

(1) $\begin{array}{r} 1.3 \\ \times\ 2.5 \\ \hline \end{array}$　　(2) $\begin{array}{r} 4.8 \\ \times\ 9.6 \\ \hline \end{array}$

자연수의 곱셈을 한 후
소수의 크기를 생각하여
소수점을 찍어요.

예제 6 곱의 소수점 위치

$$413 \times 21 = 8673$$

$$\underset{\substack{\text{소수}\\\text{두 자리 수}}}{4.13} \times\ 21\ = \underset{\substack{\text{소수}\\\text{두 자리 수}}}{86.73}$$

$$\underset{\substack{\text{소수}\\\text{한 자리 수}}}{41.3} \times \underset{\substack{\text{소수}\\\text{두 자리 수}}}{0.21} = \underset{\substack{\text{소수}\\\text{세 자리 수}}}{8.673}$$

곱하는 두 수의 소수점 아래 자리 **❶**〔　〕를 더한

것과 결괏값의 소수점 아래 자리 수가

❷〔　〕.

[답] ❶ 수 ❷ 같습니다

6 보기를 이용하여 식을 완성하시오.

보기

$$658 \times 43 = 28294$$

곱해지는 수와
결괏값의 소수점
아래 자리 수를
비교해 보세요.

(1) $658 \times \boxed{} = 282.94$

(2) $0.658 \times \boxed{} = 2.8294$

(3) $6.58 \times \boxed{} = 2.8294$

전략 1 가장 큰 수와 가장 작은 수의 곱 구하기

[관련 단원] 분수의 곱셈

예 가장 큰 수와 가장 작은 수의 곱 구하기

$$2\frac{4}{7} \qquad \frac{7}{8} \qquad 3\frac{1}{5} \qquad 1\frac{5}{6}$$

(1) 가장 큰 수와 가장 작은 수 찾기

$3\frac{1}{5} > 2\frac{4}{7} > 1\frac{5}{6} > \frac{7}{8}$ 이므로 가장 큰 수는 $3\frac{1}{5}$이고, 가장 작은 수는 $\boxed{❶}$ 입니다.

(2) 가장 큰 수와 가장 작은 수의 곱 구하기

$$(가장 큰 수) \times (가장 작은 수) = 3\frac{1}{5} \times \frac{7}{8} = \frac{\overset{2}{16}}{5} \times \frac{7}{\underset{1}{8}} = \frac{\boxed{❷}}{5} = \boxed{❸}\frac{\boxed{❹}}{5}$$

답 ❶ $\frac{7}{8}$ ❷ 14 ❸ 2 ❹ 4

필수예제 01

가장 큰 수와 가장 작은 수의 곱을 구하시오.

$$\frac{5}{6} \qquad 2\frac{1}{2} \qquad \frac{10}{3} \qquad 1\frac{3}{5}$$

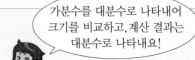
가분수를 대분수로 나타내어 크기를 비교하고, 계산 결과는 대분수로 나타내요!

(   )

풀이 | 수의 크기를 비교하면 $\frac{10}{3}\left(=3\frac{1}{3}\right) > 2\frac{1}{2} > 1\frac{3}{5} > \frac{5}{6}$ 이므로 가장 큰 수는 $\frac{10}{3}$이고, 가장 작은 수는 $\frac{5}{6}$입니다.

따라서 가장 큰 수와 가장 작은 수의 곱은 $\frac{10}{3} \times \frac{\overset{5}{5}}{\underset{3}{6}} = \frac{25}{9} = 2\frac{7}{9}$입니다.

확인 1-1

가장 큰 수와 가장 작은 수의 곱을 구하시오.

$$1\frac{2}{3} \qquad 5\frac{2}{5} \qquad \frac{4}{9} \qquad 4\frac{4}{7}$$

(   )

확인 1-2

가장 큰 수와 가장 작은 수의 곱을 구하시오.

$$3\frac{1}{8} \qquad \frac{1}{5} \qquad \frac{11}{5} \qquad 2\frac{1}{9}$$

(   )

▶정답 및 풀이 3쪽

전략 2 정다각형의 둘레 구하기

[관련 단원] 분수의 곱셈

예 한 변의 길이가 $8\dfrac{1}{3}$ cm인 정삼각형의 둘레 구하기

(1) 정삼각형의 둘레 구하는 방법 알아보기

정삼각형은 세 변의 길이가 모두 같으므로 정삼각형의 둘레는

한 변의 길이를 ❶ ⬜ 배 한 것과 같습니다.

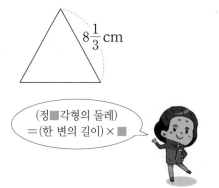
$8\dfrac{1}{3}$ cm

(2) 한 변의 길이가 $8\dfrac{1}{3}$ cm인 정삼각형의 둘레 구하기

(정삼각형의 둘레)$=8\dfrac{1}{3}\times 3=\dfrac{\boxed{❷}}{\underset{1}{\cancel{3}}}\times\overset{1}{\cancel{3}}=\boxed{❸}$ (cm)

(정■각형의 둘레)
=(한 변의 길이)×■

답 ❶ 3 ❷ 25 ❸ 25

필수 예제 02

한 변의 길이가 $9\dfrac{1}{6}$ cm인 정사각형의 둘레를 구하시오.

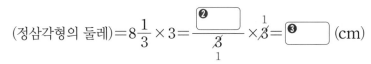
$9\dfrac{1}{6}$ cm

(1) 정사각형의 둘레를 구하는 식을 완성하시오.

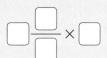

(2) 정사각형의 둘레는 몇 cm입니까?

( )

풀이 ⎮ (1) 정사각형은 네 변의 길이가 모두 같으므로 (정사각형의 둘레)=(한 변의 길이)×4입니다.

(2) (정사각형의 둘레)$=9\dfrac{1}{6}\times 4=\dfrac{55}{\underset{3}{\cancel{6}}}\times\overset{2}{\cancel{4}}=\dfrac{110}{3}=36\dfrac{2}{3}$ (cm)

확인 2-1

정육각형의 둘레를 구하시오.

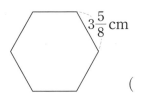
$3\dfrac{5}{8}$ cm

( )

확인 2-2

정팔각형의 둘레를 구하시오.

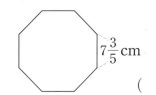
$7\dfrac{3}{5}$ cm

( )

전략 3 소수의 곱셈에서 곱의 소수점 위치 알아보기

[관련 단원] 소수의 곱셈

예 242×53은 12826일 때 2.42×5.3은 얼마인지 구하기

$$242 \times 53 = 12826 \ \Rightarrow \ 2.42 \times 5.3 = \boxed{?}$$

(1) 2.42×5.3의 결괏값은 소수 몇 자리 수인지 구하기

2.42는 소수 두 자리 수이고, 5.3은 소수 **❶**⬚ 자리 수이므로

2.42×5.3의 결괏값은 소수 **❷**⬚ 자리 수입니다.

(2) 2.42×5.3의 결괏값 구하기

결괏값이 소수 **❸**⬚ 자리 수가 되도록 소수점을 찍으면 2.42×5.3 = **❹**⬚ 입니다.

> 결괏값의 소수점 아래 자리 수는 곱하는 두 수의 소수점 아래 자리 수를 더한 것과 같아요.

답 ❶ 한 ❷ 세 ❸ 세 ❹ 12.826

필수예제 03

371×26은 9646입니다. 37.1×2.6의 결괏값에 알맞게 소수점을 찍으시오.

(1) 37.1×2.6의 결괏값은 소수 몇 자리 수입니까?

37.1×2.6의 결괏값은 소수 ⬚ 자리 수입니다.

(2) 37.1×2.6의 결괏값의 알맞은 위치에 소수점을 찍으시오.

$$37.1 \times 2.6 = 9 \bigcirc 6 \bigcirc 4 \bigcirc 6$$

풀이 (1) 37.1과 2.6은 각각 소수 한 자리 수이므로 37.1×2.6의 결괏값은 소수 두 자리 수입니다.
(2) 371×26=9646이므로 37.1×2.6=96.46입니다.

확인 3-1

826×74는 61124입니다. 8.26×0.74의 결괏값에 알맞게 소수점을 찍으시오.

$$\begin{array}{r} 8.26 \\ \times \ 0.74 \\ \hline 61124 \end{array}$$

확인 3-2

925×79는 73075입니다. 0.925×7.9의 결괏값에 알맞게 소수점을 찍으시오.

$$\begin{array}{r} 0.925 \\ \times \ \ 7.9 \\ \hline 73075 \end{array}$$

전략 4 곱의 크기 비교하기

[관련 단원] 소수의 곱셈

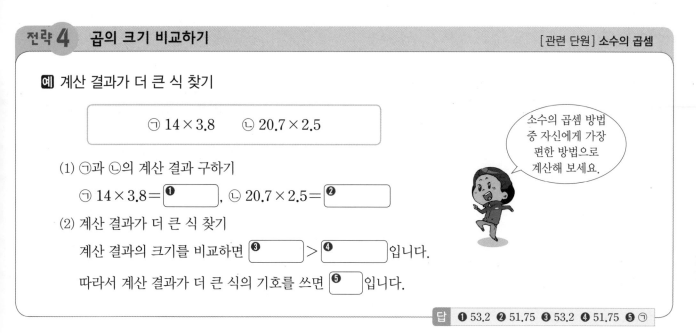

예 계산 결과가 더 큰 식 찾기

$$㉠ \ 14 \times 3.8 \qquad ㉡ \ 20.7 \times 2.5$$

소수의 곱셈 방법 중 자신에게 가장 편한 방법으로 계산해 보세요.

(1) ㉠과 ㉡의 계산 결과 구하기

㉠ $14 \times 3.8 =$ ❶ [   ], ㉡ $20.7 \times 2.5 =$ ❷ [   ]

(2) 계산 결과가 더 큰 식 찾기

계산 결과의 크기를 비교하면 ❸ [   ] > ❹ [   ] 입니다.

따라서 계산 결과가 더 큰 식의 기호를 쓰면 ❺ [   ] 입니다.

답 ❶ 53.2 ❷ 51.75 ❸ 53.2 ❹ 51.75 ❺ ㉠

필수 예제 04

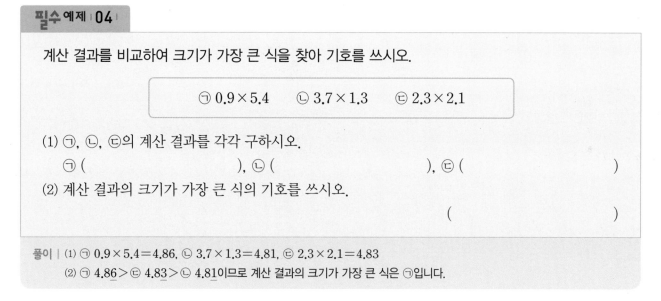

계산 결과를 비교하여 크기가 가장 큰 식을 찾아 기호를 쓰시오.

$$㉠ \ 0.9 \times 5.4 \qquad ㉡ \ 3.7 \times 1.3 \qquad ㉢ \ 2.3 \times 2.1$$

(1) ㉠, ㉡, ㉢의 계산 결과를 각각 구하시오.

㉠ (   ), ㉡ (   ), ㉢ (   )

(2) 계산 결과의 크기가 가장 큰 식의 기호를 쓰시오.

(   )

풀이 | (1) ㉠ $0.9 \times 5.4 = 4.86$, ㉡ $3.7 \times 1.3 = 4.81$, ㉢ $2.3 \times 2.1 = 4.83$

(2) ㉠ 4.86 > ㉢ 4.83 > ㉡ 4.81이므로 계산 결과의 크기가 가장 큰 식은 ㉠입니다.

확인 4-1

계산 결과를 비교하여 ○ 안에 >, =, <를 알맞게 써넣으시오.

(1) 46.3×3.5 ○ 12×14.3

(2) 0.52×63 ○ 8.4×3.9

확인 4-2

계산 결과를 비교하여 크기가 가장 큰 식을 찾아 기호를 쓰시오.

$$㉠ \ 1.45 \times 46$$
$$㉡ \ 31.2 \times 2.2$$
$$㉢ \ 90 \times 0.76$$

(   )

[관련 단원] **분수의 곱셈**

1 ① 계산 결과가 7보다 큰 식에 ○표, ② 7보다 작은 식에 △표 하시오.

$$7 \times \frac{4}{5} \qquad 7 \times 1\frac{1}{3} \qquad 7 \times 1 \qquad 7 \times \frac{7}{8}$$

> **Tip**
>
> ① 7에 [①] 보다 큰 수를 곱하면 계산 결과는 7보다 큽니다.
> ② 7에 [②] 보다 작은 수를 곱하면 계산 결과는 7보다 작습니다.
>
> 답 ① 1 ② 1

[관련 단원] **분수의 곱셈**

2 계산 결과를 찾아 이으시오.

$$\frac{4}{9} \times \frac{6}{7} \qquad \cdot$$

$$\cdot \quad \frac{5}{12}$$

$$\cdot \quad \frac{8}{21}$$

$$\frac{10}{21} \times \frac{7}{8} \qquad \cdot$$

$$\cdot \quad \frac{6}{63}$$

> **Tip**
>
> $\cdot \dfrac{\overset{}{4}}{\underset{3}{9}} \times \dfrac{\overset{2}{6}}{7} = \dfrac{4 \times 2}{3 \times 7} = \boxed{①}$
>
> $\cdot \dfrac{\overset{5}{10}}{\underset{3}{21}} \times \dfrac{\overset{1}{7}}{\underset{4}{8}} = \dfrac{5 \times ②}{3 \times ③} = \boxed{④}$
>
> 답 ① $\frac{8}{21}$ ② 1 ③ 4 ④ $\frac{5}{12}$

[관련 단원] **분수의 곱셈**

3 세 분수의 곱을 구하시오.

$$\frac{3}{7} \qquad \frac{10}{21} \qquad \frac{14}{15}$$

( )

> **Tip**
>
> 세 분수를 한꺼번에 [①] 는 분모끼리, 분자는 분자끼리 곱한 다음 약분하여 계산합니다.
>
> $\dfrac{3}{7} \times \dfrac{10}{21} \times \dfrac{14}{15} = \dfrac{\overset{1}{3} \times \overset{2}{10} \times \overset{2}{14}}{\underset{1}{7} \times \underset{7}{21} \times \underset{3}{15}} = \dfrac{\boxed{②}}{\boxed{③}}$
>
> 답 ① 분모 ② 4 ③ 21

[관련 단원] **소수의 곱셈**

4 계산 결과가 <u>다른</u> 것을 찾아 기호를 쓰시오.

> ㉠ 4.28의 10배
> ㉡ 428의 0.1배
> ㉢ 0.428 × 1000

( )

[관련 단원] **소수의 곱셈**

5 계산 결과를 비교하여 크기가 작은 식부터 차례로 기호를 쓰시오.

> ㉠ 2.8 × 3.5
> ㉡ 5 × 1.97
> ㉢ 8.9 × 1.1

( )

[관련 단원] **소수의 곱셈**

6 지훈이가 계산기로 [①]0.8 × 0.03을 계산하려고 두 수를 눌렀는데 [②]수 하나의 소수점 위치를 잘못 눌러서 0.24라는 결과가 나왔습니다.[③]지훈이가 계산기에 누른 두 수를 구하시오.

전략 1 색칠한 부분의 넓이 구하기 [관련 단원] 분수의 곱셈

> **예** 넓이가 54 cm²인 직사각형을 똑같은 크기로 나누어 색칠했을 때, 색칠한 부분의 넓이 구하기

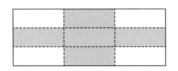

넓이: 54 cm²

전체를 똑같이 ■칸으로 나눈 것 중의 ▲칸은 $\dfrac{▲}{■}$입니다.

(1) 색칠한 부분은 전체의 몇 분의 몇인지 알아보기

색칠한 부분은 전체를 똑같이 9칸으로 나눈 것 중의 **❶** 칸이므로 분수로 나타내면 $\dfrac{❷}{9}$ 입니다.

(2) 색칠한 부분의 넓이 구하기: (색칠한 부분의 넓이)$=\overset{6}{\cancel{54}}\times\dfrac{❸}{\underset{1}{\cancel{9}}}=$ **❹** (cm²)

답 ❶ 5 ❷ 5 ❸ 5 ❹ 30

필수예제 | 01 |

넓이가 72 cm²인 정오각형을 똑같은 크기로 나누어 다음과 같이 색칠했습니다. 색칠한 부분의 넓이를 구하시오.

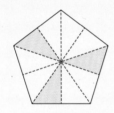

(1) 색칠한 부분은 전체의 몇 분의 몇입니까?

( )

(2) 색칠한 부분의 넓이를 구하시오.

( )

풀이 | (1) 색칠한 부분은 전체를 똑같이 10칸으로 나눈 것 중의 3칸이므로 전체의 $\dfrac{3}{10}$입니다.

(2) (색칠한 부분의 넓이)$=\overset{36}{\cancel{72}}\times\dfrac{3}{\underset{5}{\cancel{10}}}=\dfrac{108}{5}=21\dfrac{3}{5}$ (cm²)

확인 **1**-1

넓이가 60 cm²인 직사각형을 똑같은 크기로 나누어 다음과 같이 색칠했습니다. 색칠한 부분의 넓이를 구하시오.

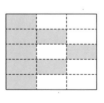

( )

확인 **1**-2

넓이가 120 cm²인 삼각형을 똑같은 크기로 나누어 다음과 같이 색칠했습니다. 색칠한 부분의 넓이를 구하시오.

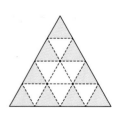

( )

전략 2 곱셈식으로 나타내기

[관련 단원] 분수의 곱셈

예 꽃밭에 있는 꽃 120송이 중의 $\frac{2}{3}$는 장미이고, 그중의 $\frac{1}{2}$은 빨간 장미일 때,

꽃밭에 있는 빨간 장미의 수 구하기

꽃밭에 있는 장미의 수를 먼저 구해 보세요.

(1) 꽃밭에 있는 장미의 수 알아보기

장미는 120송이 중의 $\frac{2}{3}$이므로 ❶ $\boxed{}$ $\times \frac{2}{3} =$ ❷ $\boxed{}$ (송이)입니다.

(2) 꽃밭에 있는 빨간 장미의 수 알아보기

빨간 장미는 ❸ $\boxed{}$ 송이 중의 $\frac{1}{2}$이므로 ❹ $\boxed{}$ $\times \frac{1}{2} =$ ❺ $\boxed{}$ (송이)입니다.

답 ❶ 120 ❷ 80 ❸ 80 ❹ 80 ❺ 40

필수 예제 02

고무찰흙 $2\frac{5}{8}$ kg의 $\frac{4}{7}$를 사용하여 미술 작품을 만들었습니다. 미술 작품을 만드는 데 사용한 고무

찰흙의 무게는 몇 kg인지 식을 쓰고 답을 구하시오.

식 _____

답 _____

풀이 | (미술 작품을 만드는 데 사용한 고무찰흙의 무게)=(고무찰흙 전체 무게)$\times \frac{4}{7}$

$$= 2\frac{5}{8} \times \frac{4}{7} = \frac{\overset{3}{\cancel{21}}}{\underset{2}{\cancel{8}}} \times \frac{\overset{1}{\cancel{4}}}{\underset{1}{\cancel{7}}} = \frac{3}{2} = 1\frac{1}{2} \text{ (kg)}$$

확인 2-1

끈 $\frac{9}{10}$ m의 $\frac{3}{5}$을 사용하여 매듭을 만들었습니다. 매듭을 만드는 데 사용한 끈의 길이는 몇 m인지 식을 쓰고 답을 구하시오.

식 _____

답 _____

확인 2-2

리본 $3\frac{1}{3}$ m의 $\frac{1}{6}$을 사용하여 선물을 포장했습니다. 선물을 포장하는 데 사용한 리본의 길이는 몇 m인지 식을 쓰고 답을 구하시오.

식 _____

답 _____

전략 3 ■ 안에 들어갈 수 있는 자연수 구하기

[관련 단원] 소수의 곱셈

예 ■ 안에 들어갈 수 있는 가장 작은 자연수 구하기

$$4.7 \times 2.6 < ■$$

■ 안에는 4.7×2.6보다 큰 수가 들어갈 수 있어요.

(1) 4.7×2.6 계산하기

$47 \times 26 = 1222$이므로 $4.7 \times 2.6 =$ ❶ [　　　] 입니다.

(2) ■ 안에 들어갈 수 있는 가장 작은 자연수 구하기

❷ [　　　] $< ■$ 이므로 ■ 안에 들어갈 수 있는 가장 작은 자연수는 ❸ [　　] 입니다.

답 ❶ 12.22 ❷ 12.22 ❸ 13

필수 예제 03

■ 안에 들어갈 수 있는 자연수를 모두 구하시오.

$$8.24 \times 6 < ■ < 9.4 \times 5.6$$

(1) 8.24×6을 계산하면 얼마입니까? (　　　　　　　)

(2) 9.4×5.6을 계산하면 얼마입니까? (　　　　　　　)

(3) ■ 안에 들어갈 수 있는 자연수를 모두 구하시오. (　　　　　　　)

풀이 | (1) $824 \times 6 = 4944$이므로 $8.24 \times 6 = 49.44$입니다.
(2) $94 \times 56 = 5264$이므로 $9.4 \times 5.6 = 52.64$입니다.
(3) $49.44 < ■ < 52.64$이므로 ■ 안에 들어갈 수 있는 자연수는 50, 51, 52입니다.

확인 3-1

■ 안에 들어갈 수 있는 가장 큰 자연수를 구하시오.

$$63.7 \times 8 > ■$$

(　　　　　　　)

확인 3-2

■ 안에 들어갈 수 있는 자연수를 모두 구하시오.

$$2.4 \times 7.8 < ■ < 6 \times 3.74$$

(　　　　　　　)

전략 4 도형의 넓이 구하기

예 한 변의 길이가 4.7 cm인 정사각형의 넓이 구하기

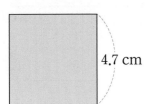
4.7 cm

(1) 정사각형의 넓이 구하는 방법 알아보기

(정사각형의 넓이)=(한 변의 길이)×(한 **❶** 의 길이)

(2) 한 변의 길이가 4.7 cm인 정사각형의 넓이 구하기

❷ × **❸** = **❹** (cm²)

답 ❶ 변 ❷ 4.7 ❸ 4.7 ❹ 22.09

필수예제 04

다음 직사각형의 넓이는 몇 cm²인지 식을 쓰고 답을 구하시오.

3.5 cm

1.8 cm

(직사각형의 넓이)
=(가로)×(세로)

식 _____   답 _____

풀이 | (직사각형의 넓이)=(가로)×(세로)

  =3.5×1.8

  =6.3 (cm²)

3.5 ← 소수 한 자리 수
× 1.8 ← 소수 한 자리 수
2 8 0
3 5
6.3 0̸ ← 소수점 아래 마지막 숫자 0은 생략할 수 있습니다.

확인 4-1

직사각형의 넓이는 몇 cm²인지 구하시오.

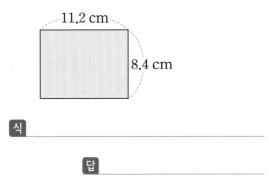
11.2 cm

8.4 cm

식 _____

답 _____

확인 4-2

평행사변형의 넓이는 몇 cm²인지 구하시오.

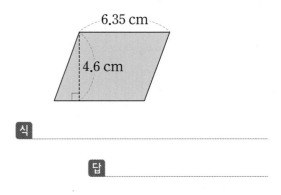
6.35 cm

4.6 cm

식 _____

답 _____

1주 03일 필수 체크 전략 ❷

[관련 단원] **분수의 곱셈**

1 우유가 $\dfrac{2}{9}$ L씩 들어 있는 컵이 7개 있습니다. 우유는 모두 몇 L입니까?

( )

Tip

(전체 우유의 양)
= (컵 1개에 들어 있는 우유의 양) × (컵의 개수)
$= \left(\dfrac{❶}{9} \times ❷ \right)$ L

답 ❶ 2 ❷ 7

[관련 단원] **분수의 곱셈**

2 다음 수 카드 중 두 장을 사용하여 분수의 곱셈식을 만들려고 합니다. 계산 결과가 가장 작은 식을 만드시오.

| 2 | 3 | 4 | 5 |

| 6 | 7 | 8 | 9 |

식 _____ $\dfrac{1}{\boxed{}} \times \dfrac{1}{\boxed{}}$

Tip

곱하는 두 수가 작을수록 계산 결과가 ❶ ☐ 집니다.

단위분수는 분모가 클수록 더 ❷ ☐ 수입니다.

답 ❶ 작아 ❷ 작은

곱이 가장 작으려면 가장 작은 분수와 두 번째로 작은 분수를 곱해야 합니다.

[관련 단원] **분수의 곱셈**

3 ❶정사각형 가와 ❷직사각형 나가 있습니다. ❸가와 나 중 어느 것이 더 넓습니까?

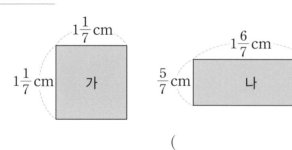

( )

Tip

❶ (가의 넓이) $= \left(1\dfrac{1}{7} \times \boxed{} \right)$ cm²

❷ (나의 넓이) $= \left(1\dfrac{6}{7} \times \boxed{} \right)$ cm²

❸ 두 사각형의 넓이를 비교하여 더 넓은 것의 기호를 씁니다.

답 ❶ $1\dfrac{1}{7}$ ❷ $\dfrac{5}{7}$

[관련 단원] **소수의 곱셈**

4 곱의 소수점 아래 자리 수가 <u>다른</u> 것을 찾아 기호를 쓰시오.

> ㉠ 0.8×4.82 ㉡ 3.25×1.65
>
> ㉢ 36.57×0.5 ㉣ 24.2×3.21

(   )

곱의 소수점 아래
마지막 숫자가 0인 식이 없으므로
곱하는 두 소수의 소수점 아래 자리
수의 합을 비교해요.

[관련 단원] **소수의 곱셈**

5 삼각형의 넓이는 몇 cm²인지 구하시오.

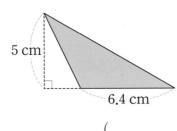

5 cm

6.4 cm

(   )

[관련 단원] **소수의 곱셈**

6 한 시간에 125 km를 달리는 기차가 있습니다. 이 기차가 같은 빠르기로❶ 15분 동안 달린다면❷ 몇 km를 가는지 소수의 곱셈식을 이용하여 구하시오.

(   )

대표 예제 | 01 |

두 수의 곱을 구하시오.

$$\frac{8}{15} \qquad \frac{5}{12}$$

( )

개념가이드

주어진 두 진분수의 곱셈을 합니다.

$$\overset{2}{\underset{3}{\cancel{\frac{8}{15}}}} \times \overset{1}{\underset{3}{\cancel{\frac{5}{12}}}} = \frac{2 \times \boxed{❷}}{3 \times 3} = \frac{\boxed{❸}}{9}$$

[답] ❶ 1 ❷ 1 ❸ 2

대표 예제 | 02 |

잘못된 부분을 찾아 바르게 계산하시오.

$$4\frac{2}{3} \times 6 = \frac{14}{3} \times 6 = \frac{14 \times 6}{3 \times 6}$$
$$= \frac{84}{18} = 4\frac{\overset{2}{\cancel{12}}}{\underset{3}{\cancel{18}}} = 4\frac{2}{3}$$

$$4\frac{2}{3} \times 6 =$$

_____

_____

개념가이드

(대분수)×(자연수)를 계산할 때는 먼저 대분수를 ❶ 분수
로 바꾼 다음 분수의 ❷ 와 자연수를 곱하여 계산해야
합니다.

[답] ❶ 가 ❷ 분자

대표 예제 | 03 |

빈칸에 알맞은 수를 써넣으시오.

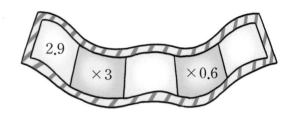

개념가이드

앞에서부터 차례로 계산합니다.

$$2.9 \times 3 = \boxed{❶}, \; \boxed{❷} \times 0.6 = \boxed{❸}$$

[답] ❶ 8.7 ❷ 8.7 ❸ 5.22

대표 예제 | 04 |

○ 안에 >, =, <를 알맞게 써넣으시오.

(1) $10 \; \bigcirc \; 10 \times \dfrac{7}{8}$

(2) $10 \; \bigcirc \; 10 \times \dfrac{9}{8}$

(3) $10 \; \bigcirc \; 10 \times 2\dfrac{1}{8}$

개념가이드

· 곱하는 수가 1보다 더 작으면 값이 작아집니다.

· 곱하는 수가 ❶ 과 같으면 값이 변하지 않습니다.

· 곱하는 수가 1보다 더 크면 값이 ❷ .

[답] ❶ 1 ❷ 커집니다

잘할 수 있어!

대표 예제 05

공원 한 바퀴는 $\frac{9}{14}$ km입니다. 성주가 공원을

3바퀴 돌았다면 모두 몇 km를 돈 것입니까?

(   )

개념가이드

(성주가 돈 거리)＝(공원 한 바퀴의 거리)×(성주가 돈 바퀴 수)

$$=\left(\frac{\boxed{①}}{\boxed{②}}\times\boxed{③}\right) km$$

[답] ❶ 9 ❷ 14 ❸ 3

대표 예제 07

효주네 학교 5학년 학생의 $\frac{8}{15}$은 남학생이고,

그중 $\frac{3}{10}$은 안경을 썼습니다. 안경을 쓴 남학

생은 5학년 학생 전체의 몇 분의 몇입니까?

(   )

개념가이드

효주네 학교 5학년 학생 중 안경을 쓴 남학생은 5학년 학생

전체의 $\left(\frac{\boxed{①}}{15}\times\frac{\boxed{②}}{\boxed{③}}\right)$입니다.

[답] ❶ 8 ❷ 3 ❸ 10

대표 예제 06

어느 수영장의 이용료는 15000원입니다. 겨울

에는 이용료의 $\frac{7}{10}$만큼만 받는다고 합니다.

이 수영장의 겨울 이용료는 얼마입니까?

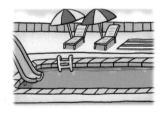

(   )

개념가이드

(수영장의 겨울 이용료)＝$\left(\boxed{①}\times\frac{\boxed{②}}{\boxed{③}}\right)$원

[답] ❶ 15000 ❷ 7 ❸ 10

대표 예제 08

☐ 안에 들어갈 수 있는 자연수는 모두 몇 개
입니까?

$$3\frac{1}{5}\times1\frac{5}{6}>\boxed{}$$

(   )

개념가이드

$$3\frac{1}{5}\times1\frac{5}{6}=\frac{16}{5}\times\frac{\overset{8}{16}}{\underset{3}{6}}=\frac{\boxed{①}}{15}=\frac{\boxed{②}}{15}=\boxed{③}\frac{\boxed{④}}{15}$$

[답] ❶ 11 ❷ 88 ❸ 5 ❹ 13

대표 예제 09

0.4×9를 계산하려고 합니다. ☐ 안에 알맞은 수를 써넣으시오.

> 0.4는 0.1이 ☐ 개이므로
>
> 0.4×9는 0.1이 모두 ☐ 개입니다.
>
> 따라서 0.4×9= ☐ 입니다.

개념가이드

0.4는 0.1이 ❶ 개이므로 0.4×9는 0.1이 모두 ❷ × ❸ = ❹ (개)입니다.

[답] ❶ 4 ❷ 4 ❸ 9 ❹ 36

대표 예제 11

잘못된 부분을 찾아 바르게 계산하시오.

$$0.25 \times 7 = \frac{25}{10} \times 7 = \frac{175}{10} = 17.5$$

0.25×7=

개념가이드

소수의 곱셈을 ❶ 의 곱셈으로 계산하는 방법입니다.

소수 두 자리 수는 분모가 ❷ 인 분수로 나타내어야 하는데 분모를 10으로 잘못 나타내어 계산한 것입니다.

[답] ❶ 분수 ❷ 100

대표 예제 10

자연수의 곱셈을 이용하여 계산하시오.

(1) 7×6=42 ➡ 7×0.06= ☐

(2) 7×6=42 ➡ 0.7×6= ☐

(3) 7×6=42 ➡ 0.07×0.6= ☐

개념가이드

곱해지는 수와 곱하는 수의 소수점 아래 자리 수를 더한 것과 결괏값의 소수점 아래 자리 ❶ 가 같아야 하므로

7×0.06의 결괏값은 소수 ❷ 자리 수가 되어야 합니다.

[답] ❶ 수 ❷ 두

대표 예제 12

곱하는 두 수의 크기를 생각하여 결괏값에 소수점을 찍으시오.

(1) 490×1.07=5 2 4 3 0

(2) 92.4×0.13=1 2 0 1 2

개념가이드

(1) 1.07은 1에 가까우므로 490×1.07의 결괏값은

490×1= ❶ 에 가까운 수가 되어야 합니다.

(2) 92.4×0.13은 (소수 한 자리 수)×(소수 ❷ 자리 수)

이므로 결괏값은 소수 ❸ 자리 수여야 합니다.

[답] ❶ 490 ❷ 두 ❸ 세

항상 널 응원해!

대표 예제 13

빈칸에 알맞은 수를 써넣으시오.

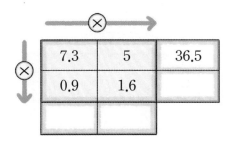

개념가이드

· 7.3×5=36.5 · 0.9×1.6=❶[ ]

· 7.3×0.9=❷[ ] · 5×1.6=❸[ ]

[답] ❶ 1.44 ❷ 6.57 ❸ 8

대표 예제 15

한 변의 길이가 12.24 cm인 정오각형이 있습니다. 이 정오각형의 둘레는 몇 cm입니까?

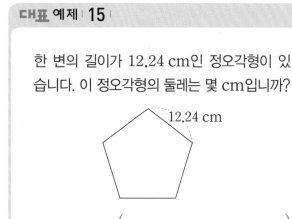

12.24 cm

( )

개념가이드

정오각형은 ❶[ ]개의 변의 길이가 모두 같습니다.

(정오각형의 둘레)=(한 변의 길이)×❷[ ]

=(12.24×❸[ ]) cm

[답] ❶ 5 ❷ 5 ❸ 5

대표 예제 14

79.12에 어떤 수를 곱했더니 0.7912가 되었습니다. 어떤 소수를 구하시오.

79.12와 0.7912의 소수점의 위치를 비교해 보세요.

( )

개념가이드

어떤 수를 ■라 하면 79.12×■=❶[ ]입니다.

(소수 두 자리 수)×■=(소수 ❷[ ] 자리 수)이므로 ■는 소수 ❸[ ] 자리 수입니다.

[답] ❶ 0.7912 ❷ 네 ❸ 두

대표 예제 16

떨어진 높이의 0.45배만큼 튀어 오르는 공이 있습니다. 이 공을 11 m 높이에서 떨어뜨렸을 때 첫 번째로 튀어 오른 공의 높이는 몇 m입니까?

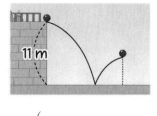

11 m

( )

개념가이드

(첫 번째로 튀어 오른 공의 높이)=(떨어진 높이)×❶[ ]

=(❷[ ]×❸[ ]) m

[답] ❶ 0.45 ❷ 11 ❸ 0.45

1 세 분수의 곱을 구하시오.

$$\boxed{\frac{4}{5}} \qquad \boxed{\frac{3}{8}} \qquad \boxed{\frac{5}{7}}$$

( )

Tip

세 분수를 한꺼번에 분자는 분자끼리, ❶⬜는 ❷⬜끼리 곱한 다음 약분하여 계산해 봅니다.

$$\frac{4}{5} \times \frac{3}{8} \times \frac{5}{7} = \frac{4 \times 3 \times 5}{5 \times 8 \times \boxed{❸}} = \frac{60}{\boxed{❹}} = \frac{3}{\boxed{❺}}$$

답 ❶ 분모 ❷ 분모 ❸ 7 ❹ 280 ❺ 14

2 계산 결과가 6보다 큰 식은 모두 몇 개입니까?

$$6 \times 1\frac{1}{10} \qquad 6 \times \frac{8}{9} \qquad 6 \times \frac{7}{3}$$

$$6 \times \frac{3}{7} \qquad\qquad 6 \times 1 \qquad\qquad 6 \times 4\frac{3}{5}$$

( )

Tip

· 6에 곱하는 수가 1보다 더 작으면 계산 결과가 6보다

  ⬜❶⬜.

· 6에 곱하는 수가 1과 같으면 계산 결과가 6으로 같습니다.

· 6에 곱하는 수가 1보다 더 크면 계산 결과가 ❷⬜보다 큽니다.

답 ❶ 작습니다 ❷ 6

3 가로가 $9\frac{1}{5}$ m이고, 세로가 5 m인 직사각형 모양의 텃밭이 있습니다. 이 텃밭의 넓이는 몇 m²입니까?

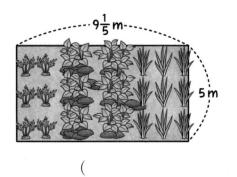

( )

Tip

(직사각형의 넓이)=(가로)×(세로)이므로

(텃밭의 넓이)=($\boxed{❶}$×$\boxed{❷}$) m²입니다.

답 ❶ $9\frac{1}{5}$ ❷ 5

4 혜성이는 어제 책 한 권의 $\frac{1}{6}$을 읽었습니다. 오늘은 어제 읽고 난 나머지의 $\frac{3}{7}$을 읽었습니다. 혜성이가 오늘 읽은 양은 책 전체의 얼마입니까?

( )

Tip

혜성이가 어제 책 한 권의 $\frac{1}{6}$을 읽었으므로 어제 읽고 난 나머지는

책 전체의 $1 - \frac{1}{6} = \boxed{❶}$ 입니다. 따라서 혜성이가 오늘 읽은

양은 책 전체의 ($\boxed{❷}$ × $\frac{3}{7}$)입니다.

답 ❶ $\frac{5}{6}$ ❷ $\frac{5}{6}$

5 금성에서 잰 몸무게는 지구에서 잰 몸무게의 0.9배입니다. 지구에서 지호의 몸무게가 44 kg 이라면 금성에서 잰 몸무게는 몇 kg인지 구하시오.

( )

Tip

(금성에서 잰 몸무게)=(❶ ⬚ 에서 잰 몸무게)×0.9이므로 금성에서 잰 지호의 몸무게는 (❷ ⬚ ×0.9) kg입니다.

답 ❶ 지구 ❷ 44

6 재민이는 하루에 물 230 L를 사용합니다. 수압 밸브를 약하게 조절하면 평소 사용량의 0.3배 만큼 아낄 수 있습니다. 수압 밸브를 약하게 조절 했을 때 재민이가 하루 동안 아낄 수 있는 물의 양은 몇 L인지 구하시오.

( )

Tip

(재민이가 하루 동안 아낄 수 있는 물의 양)
=(재민이의 하루 평소 사용량의 0.3배)
=(❶ ⬚ ×❷ ⬚) L

답 ❶ 230 ❷ 0.3

7 어떤 수에 7.8을 곱해야 할 것을 잘못하여 어떤 수에 7.8을 더했더니 16.1이 되었습니다. 바르게 계산하면 얼마입니까?

( )

먼저 어떤 수를 구한 후 바르게 계산해 보세요.

Tip

어떤 수를 ■라 하면 잘못 계산한 식 ■+7.8=❶ ⬚ 에서
■=16.1−7.8=❷ ⬚ 입니다.
따라서 바르게 계산하려면 ❸ ⬚ ×7.8을 계산하면 됩니다.

답 ❶ 16.1 ❷ 8.3 ❸ 8.3

8 은서네 학교에서 놀이터의 가로를 1.5배로 늘려 새로운 놀이터를 만들려고 합니다. 새로운 놀이터의 넓이는 몇 m^2인지 구하시오.

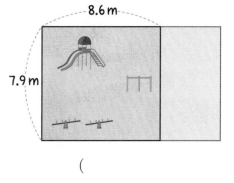

( )

Tip

(새로운 놀이터의 가로)=8.6×❶ ⬚ =❷ ⬚ (m)
➡ (새로운 놀이터의 넓이)=(❸ ⬚ ×7.9) m^2

답 ❶ 1.5 ❷ 12.9 ❸ 12.9

01 계산을 하시오.

(1) $\dfrac{4}{7} \times \dfrac{5}{6}$

(2) $1\dfrac{2}{3} \times 2\dfrac{1}{10}$

02 계산 결과를 어림하여 ○ 안에 >, =, < 를 알맞게 써넣으시오.

(1) $\dfrac{2}{5} \bigcirc \dfrac{2}{5} \times \dfrac{2}{5}$

(2) $1\dfrac{4}{5} \bigcirc 1\dfrac{4}{5} \times \dfrac{5}{9}$

(3) $\dfrac{9}{10} \bigcirc \dfrac{9}{10} \times 1\dfrac{1}{3}$

03 다음 계산에서 잘못된 부분을 찾아 바르게 계산하시오.

$$4\dfrac{1}{8} \times 2\dfrac{4}{9} = \dfrac{\overset{1}{\cancel{9}}}{\underset{2}{\cancel{2}}} \times \dfrac{19}{\underset{1}{\cancel{9}}} = \dfrac{19}{2} = 9\dfrac{1}{2}$$

$4\dfrac{1}{8} \times 2\dfrac{4}{9} =$ _____

04 한 변의 길이가 $4\dfrac{3}{8}$ cm인 정사각형의 둘레를 구하시오.

$4\dfrac{3}{8}$ cm

정사각형은 네 변의 길이가 모두 같아요.

(   )

05 직사각형을 똑같은 크기로 나누어 다음과 같이 색칠했습니다. 색칠한 부분의 넓이를 구하시오.

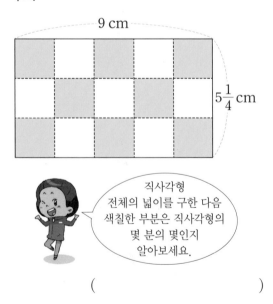

9 cm

$5\dfrac{1}{4}$ cm

직사각형 전체의 넓이를 구한 다음 색칠한 부분은 직사각형의 몇 분의 몇인지 알아보세요.

(   )

06 계산 결과가 같은 것끼리 이으시오.

0.8×90 •   • 80×0.9

8×0.09 •   • 0.08×9

07 곱하는 두 수의 크기를 생각하여 결괏값에 소수점을 찍으시오.

$$0.96 \times 420 = 4\,0\,3\,2\,0$$

08 민정이는 이번 주 월요일부터 금요일까지 하루에 1시간 30분씩 공부를 했습니다. 이번 주에 민정이가 공부한 시간은 몇 시간인지 소수의 곱셈식을 이용하여 답을 구하시오.

식 _____

답 _____

09 계산 결과가 가장 큰 식이 적힌 종이를 가지고 있는 사람을 찾아 이름을 쓰시오.

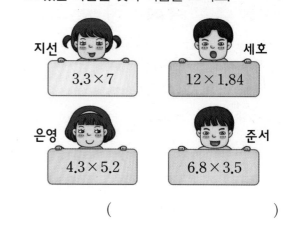

지선 3.3×7

세호 12×1.84

은영 4.3×5.2

준서 6.8×3.5

(   )

10 ■ 안에 들어갈 수 있는 자연수는 모두 몇 개인지 구하시오.

$$9.5 \times 9.7 < ■ < 12.3 \times 8.1$$

(   )

창의·융합·코딩 전략 ❶

1 위 대화를 읽고 주말농장에서 두 사람이 캔 고구마는 모두 몇 kg인지 구하시오.

( )

2 위 대화를 읽고 상자를 묶는 데 사용한 끈의 길이는 몇 m인지 구하시오.

( )

창의·융합·코딩 전략❷

코딩

1 순서도의 ♥에 $1\frac{7}{12}$을 넣을 때 출력되는 값을 구하시오.

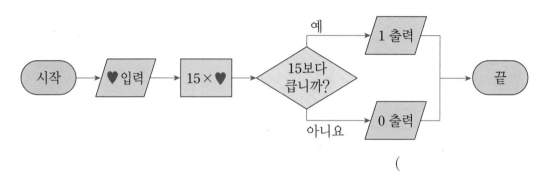

(   )

Tip

15에 곱하는 수가 1보다 더 작으면 계산 결과가 15보다 작고, 1보다 크면 계산 결과가 15보다 **❶** ⬚ .

따라서 ♥에 $1\frac{7}{12}$을 넣으면 $1\frac{7}{12}$이 1보다 더 **❷** ⬚므로 $15 \times 1\frac{7}{12}$의 계산 결과는 15보다 **❸** ⬚ .

[답] ❶ 큽니다 **❷** 크 **❸** 큽니다

창의 융합

2 A0 용지는 가로 $84\frac{1}{10}$ cm, 세로 $118\frac{9}{10}$ cm인 종이입니다.

A0 용지를 반으로 나누면 A1 용지가 되고 또 반으로 나누면 A2 용지, 또 반으로 나누면 A3 용지⋯⋯가 됩니다. A3 용지의 짧은 쪽의 길이를 구하시오.

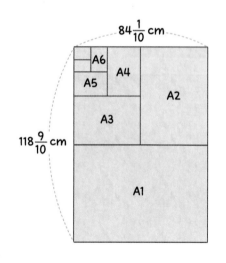

(   )

Tip

A1 용지의 짧은 쪽의 길이는 A**❶** ⬚ 용지의 긴 쪽의 길이를 반으로 나눈 것과 같으므로 $\left(118\frac{9}{10} \times \frac{1}{❷⬚}\right)$ cm입니다.

A3 용지의 짧은 쪽의 길이는 A1 용지의 짧은 쪽의 길이를 반으로 나눈 것과 같으므로 $\left(118\frac{9}{10} \times \frac{1}{❸⬚} \times \frac{1}{2}\right)$ cm입니다.

[답] ❶ 0 **❷** 2 **❸** 2

문제 해결

3 넓이가 $33\frac{1}{3}$ cm²인 정삼각형을 4등분한 다음 만들어진 각 정삼각형을 다시 4등분하여 색칠했습니다. 색칠한 부분의 넓이는 몇 cm²인지 구하시오.

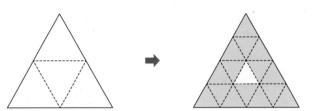

(   )

Tip

가장 작은 정삼각형 하나는 전체를 4등분한 것 중의 하나를 다시 4등분한 것 중의 하나이므로 전체의 $\dfrac{1}{❶} \times \dfrac{1}{4} = \dfrac{1}{❷}$ 입

니다. 색칠한 부분은 가장 작은 정삼각형이 15개이므로 전체의 $\dfrac{1}{❸} \times 15 = \dfrac{❹}{❺}$ 입니다.

[답] ❶ 4   ❷ 16   ❸ 16   ❹ 15   ❺ 16

추론

4 분수 막대를 보고 ☐ 안에 알맞은 수를 써넣으시오.

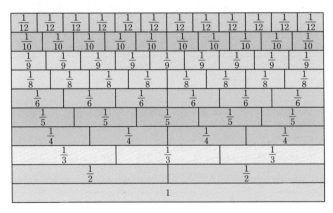

$\dfrac{1}{3}$ 막대 2개와 같은 길이에 $\dfrac{1}{6}$, $\dfrac{1}{9}$, $\dfrac{1}{12}$ 막대가 각각 몇 개씩인지 세어 보세요.

$$\frac{1}{3} \times 2 = \frac{1}{6} \times \boxed{} = \frac{1}{9} \times \boxed{} = \frac{1}{12} \times \boxed{}$$

Tip

$\dfrac{1}{3} \times 2$는 $\dfrac{1}{3}$을 ❶ 번 더한 것과 같습니다.

분수 막대에서 $\dfrac{1}{3}$ 막대 2개의 길이와 $\dfrac{1}{6}$ 막대 4개, $\dfrac{1}{9}$ 막대 ❷ 개, $\dfrac{1}{12}$ 막대 ❸ 개의 길이가 각각 같습니다.

[답] ❶ 2   ❷ 6   ❸ 8

5 볼링을 칠 때 사용하는 볼링공에는 수가 적혀 있습니다. 이는 볼링공의 무게로 파운드를 의미합니다. 1파운드가 0.45 kg일 때, 8이 적힌 볼링공의 무게는 몇 kg인지 구하시오.

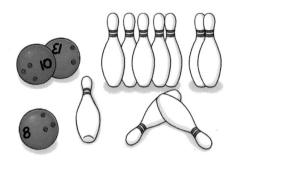

8이 적힌 볼링공의 무게는 8파운드예요.

(   )

> **Tip** --
>
> 1파운드가 0.45 kg이므로 8파운드는 $0.45 \times$ ❶ $=$ ❷ (kg)입니다.

[답] ❶ 8   ❷ 3.6

6 다음은 현중이의 간식표입니다. 이번 주에 간식을 준비하려면 1 L짜리 우유를 최소 몇 개 사야 할지 구하시오.

✦ 현중이의 간식표 ✦

월요일	화요일	수요일	목요일	금요일	토요일	일요일
우유 0.5L 바나나 1개	우유 0.5L 계란 1개	우유 0.5L 사과 $\frac{1}{2}$개	주스 0.3L 사과 $\frac{1}{2}$개	우유 0.5L 귤 2개	주스 0.3L 바나나 1개	우유 0.5L 고구마 1개

(   )

> **Tip** --
>
> 현중이의 간식표를 보면 우유가 0.5 L씩 ❶ 일치가 필요하므로 $0.5 \times$ ❷ $=$ ❸ (L) 필요합니다.
>
> 우유가 모자라지 않게 사려면 1 L짜리 우유를 최소 몇 개 사야 하는지 알아봅니다.

[답] ❶ 5   ❷ 5   ❸ 2.5

코딩

7 다음은 소수의 곱셈을 순서도로 나타낸 것입니다. ★에 5보다 크고 10보다 작은 자연수 중 가장 작은 홀수를 넣었을 때, 출력되는 값을 구하시오.

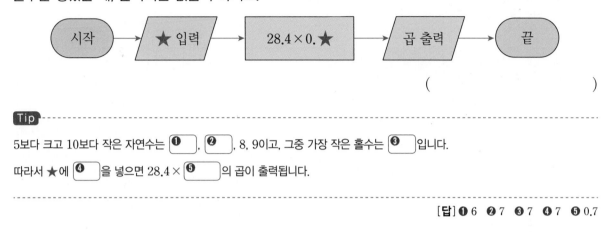

(   )

Tip

5보다 크고 10보다 작은 자연수는 **①**, **②**, 8, 9이고, 그중 가장 작은 홀수는 **③** 입니다.

따라서 ★에 **④** 을 넣으면 28.4 × **⑤** 의 곱이 출력됩니다.

[답] **①** 6 **②** 7 **③** 7 **④** 7 **⑤** 0.7

창의 융합

8 각 나라에서 사용하는 돈은 모양뿐만 아니라 값어치도 다릅니다. 그래서 나라들끼리 돈을 맞바꿀 때 서로 얼마에 바꾸어야 할지를 정해 놓고 있는데, 이를 '환율'이라고 합니다. 우리나라 돈 1000원이 미국 돈으로 0.84달러일 때, 우리나라 돈 50000원은 미국 돈 몇 달러로 바꿀 수 있는지 구하시오.

1000원＝0.84달러

(   )

Tip

1000 × **①** ＝50000이므로 50000원은 1000원의 **②** 배입니다.

우리나라 돈 1000원이 미국 돈으로 0.84달러이므로 우리나라 돈 50000원은 미국 돈으로 (0.84 × **③**)달러입니다.

[답] **①** 50 **②** 50 **③** 50

합동과 대칭, 직육면체

저길 봐. 달고나를 팔고 있어.

달고나?

달고나는 설탕과 소다로 만든 음식이야.

설탕을 녹인 후 여러 가지 모양의 틀로 누르면 달고나 완성!

모양 틀로 찍은 형태가 부서지지 않게 분리하면 선물을 줄게.

정말요?

어? 이 모양은 무슨 모양이지?

이건 선대칭도형 이네.

한 직선을 따라 접었을 때 완전히 겹치는 도형을 선대칭도형이라고 해.

어서 선대칭도형을 부서지지 않게 분리해 보자.

학습할 내용

❶ 도형의 합동, 합동인 도형의 성질
❷ 선대칭도형의 개념과 성질
❸ 점대칭도형의 개념과 성질

❹ 직육면체와 정육면체
❺ 직육면체의 겨냥도
❻ 직육면체와 정육면체의 전개도

개념 **1** 도형의 합동

[관련 단원] 합동과 대칭

○ **도형의 합동**

합동: 모양과 크기가 같아서 포개었을 때 완전히 겹치는 두 도형

○ **합동인 도형의 성질**

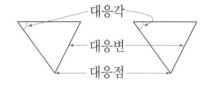

대응각
대응변
대응점

• 서로 합동인 두 도형에서 각각의 대응변의 길이는 서로 같습니다.
• 서로 합동인 두 도형에서 각각의 대응각의 크기는 서로 같습니다.

• 돌리거나 뒤집어서 완전히 겹치면 합동입니다.

• 서로 합동인 두 도형을 포개었을 때 완전히 겹치는 점을 대응 **❶**□, 겹치는 변을 대응 **❷**□, 겹치는 각을 대응각이라고 합니다.

답 **❶** 점 **❷** 변

개념 **2** 선대칭도형과 그 성질

[관련 단원] 합동과 대칭

○ **선대칭도형**

┌대칭축

선대칭도형: 한 직선을 따라 접었을 때 완전히 겹치는 도형

○ **선대칭도형의 성질**
• 각각의 대응변의 길이가 서로 같습니다.
• 각각의 대응각의 크기가 서로 같습니다.
• 대응점끼리 이은 선분은 대칭축과 수직으로 만납니다.
• 각각의 대응점에서 대칭축까지의 거리가 서로 같습니다.

대응점
대칭축
대응각
대응변

• 선대칭도형에서 대칭축을 따라 접었을 때 겹치는 점을 대응점, 겹치는 변을 대응변, 겹치는 각을 대응 **❶**□ 이라고 합니다.

• 선대칭도형에서 대칭 **❷**□ 은 대응점끼리 이은 선분을 둘로 똑같이 나눕니다.

답 **❶** 각 **❷** 축

개념 **3** 점대칭도형과 그 성질

[관련 단원] 합동과 대칭

○ **점대칭도형**

┌대칭의 중심

점대칭도형: 어떤 점을 중심으로 180° 돌렸을 때 처음 도형과 완전히 겹치는 도형

○ **점대칭도형의 성질**
• 각각의 대응변의 길이가 서로 같습니다.
• 각각의 대응각의 크기가 서로 같습니다.
• 각각의 대응점에서 대칭의 중심까지의 거리가 서로 같습니다.

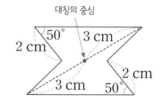

대칭의 중심
50°
3 cm
2 cm
2 cm
3 cm
50°

• 점대칭도형에서 대칭의 중심을 중심으로 **❶**□ ° 돌렸을 때 겹치는 점을 대응점, 겹치는 변을 대응변, 겹치는 각을 대응각이라고 합니다.

• 대칭의 **❷**□ 은 대응점끼리 이은 선분을 둘로 똑같이 나눕니다.

답 **❶** 180 **❷** 중심

1-1 오른쪽 도형과 서로 합동인 도형을 찾아 ○표 하시오.

(   ) (   ) (   )

• **풀이** • 오른쪽 도형과 모양과 **❶**[   ]가 같아서 포개었을 때 완전히

❷[   ] 도형을 찾아 ○표 합니다.

답 ❶ 크기 ❷ 겹치는

1-2 오른쪽 도형과 서로 합동인 도형을 찾아 기호를 쓰시오.

가   나   다

(   )

2-1 선대칭도형을 찾아 기호를 쓰시오.

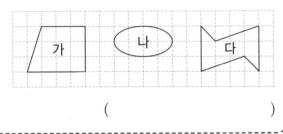

(   )

• **풀이** • 한 **❶**[   ]선을 따라 접었을 때 완전히 **❷**[   ]치는 도형을 찾아 기호를 씁니다.

답 ❶ 직 ❷ 겹

2-2 선대칭도형을 찾아 기호를 쓰시오.

(   )

선대칭도형은 한 직선을 기준으로 접었을 때 완전히 겹쳐야 해요.

3-1 점대칭도형을 찾아 기호를 쓰시오.

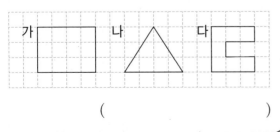

(   )

• **풀이** • 어떤 **❶**[   ]을 중심으로 180° **❷**[   ]렸을 때 처음 도형과 완전히 겹치는 도형을 찾아 기호를 씁니다.

답 ❶ 점 ❷ 돌

3-2 점대칭도형을 모두 찾아 기호를 쓰시오.

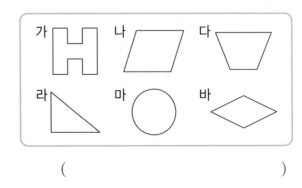

(   )

개념 4 　직육면체

[관련 단원] 직육면체

○ **직육면체**
- **직육면체**: 직사각형 6개로 둘러싸인 도형
- **면**: 선분으로 둘러싸인 부분
- **모서리**: 면과 면이 만나는 선분
- **꼭짓점**: 모서리와 모서리가 만나는 점

꼭짓점
모서리
면

○ **직육면체의 성질**
- 서로 마주 보고 있는 면은 서로 평행합니다.
- 서로 만나는 면은 수직으로 만납니다.
- 한 면과 만나는 면은 4개입니다.
- **밑면**: 서로 평행한 두 면 ―직육면체의 밑면은 2개입니다.
- **옆면**: 밑면과 수직인 면 ―직육면체의 옆면은 4개입니다.

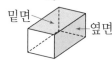
밑면
밑면
옆면

- 정사각형 6개로 둘러싸인 도형은 ❶☐육면체라고 합니다.

- 정육면체는 직육면체라고 할 수 있지만 직육면체는 정육면체라고 할 수 없습니다.

- 직육면체에서 계속 늘여도 만나지 않는 두 면을 서로 ❷☐하다고 합니다.

- 직육면체에는 평행한 면이 ❸☐쌍 있고 이 평행한 면은 각각 밑면이 될 수 있습니다.

답 ❶ 정 ❷ 평행 ❸ 3

개념 5 　직육면체의 겨냥도

[관련 단원] 직육면체

○ **직육면체의 겨냥도**
직육면체의 **겨냥도**: 직육면체 모양을 잘 알 수 있도록 나타낸 그림

면의 수(개)		모서리의 수(개)		꼭짓점의 수(개)	
6		12		8	
보이는 면	보이지 않는 면	보이는 모서리	보이지 않는 모서리	보이는 꼭짓점	보이지 않는 꼭짓점
3	3	9	3	7	1

- 직육면체의 겨냥도에서 보이는 모서리는 ❶☐선으로, 보이지 않는 모서리는 ❷☐선으로 그립니다.

답 ❶ 실 ❷ 점

개념 6 　직육면체의 전개도

[관련 단원] 직육면체

○ **직육면체의 전개도**
직육면체의 **전개도**: 직육면체의 모서리를 잘라서 펼친 그림

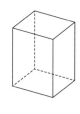
전개도를 접었을 때 같은 색으로 색칠한 면끼리 서로 평행해요.

파 　토
ㅎ　가　ㅋ　ㅊ
ㄱ　　　　　　ㅈ
나　다　라　마
ㄴ　ㄷ　ㅂ　ㅅ
　　바
ㄹ　　ㅁ　ㅇ

―잘린 모서리는 실선으로, 잘리지 않는 모서리는 점선으로 그립니다.

- 직육면체의 전개도에는 서로 합동인 면이 2개씩 ❶☐쌍 있습니다.

- 직육면체의 전개도를 접었을 때 겹치는 선분끼리 길이가 ❷☐습니다.

답 ❶ 3 ❷ 같

4-1 그림을 보고 직육면체를 찾아 ○표 하시오.

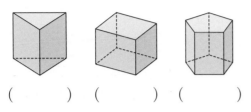

(   ) (   ) (   )

• **풀이** • [①] 사각형 [②] 개로 둘러싸인 도형을 찾습니다.

답 ❶ 직 ❷ 6

4-2 그림을 보고 직육면체를 모두 찾아 기호를 쓰시오.

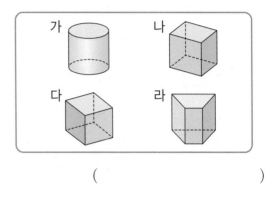

(   )

5-1 직육면체의 겨냥도를 바르게 그린 것을 찾아 ○표 하시오.

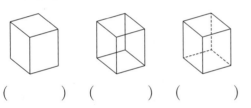

(   ) (   ) (   )

• **풀이** • 보이는 모서리는 [①] 선으로, 보이지 않는 모서리는 [②] 선으로 그린 것을 찾습니다.

답 ❶ 실 ❷ 점

5-2 그림에서 빠진 부분을 그려 넣어 직육면체의 겨냥도를 완성하시오.

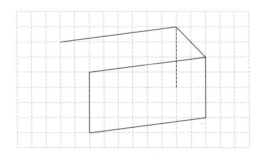

6-1 전개도를 접어서 정육면체를 만들었을 때, 색칠한 면과 평행한 면에 색칠해 보시오.

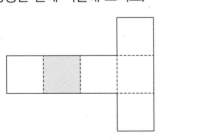

• **풀이** • 정육면체에서 서로 마주 보는 면끼리 [①] 하므로 전개도를 접었을 때 색칠한 면과 서로 마주 보는 [②] 을 찾아 색칠합니다.

답 ❶ 평행 ❷ 면

6-2 전개도를 접어서 정육면체를 만들었을 때, 색칠한 면과 평행한 면에 색칠해 보시오.

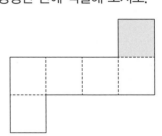

예제 1 합동인 도형의 성질

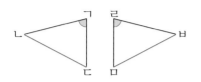

- 변 ㄴㄷ과 길이가 같은 변 ➡ 변 ㅂㅁ
- 각 ㄴㄱㄷ과 크기가 같은 각 ➡ 각 ㅂㄹㅁ

서로 합동인 두 도형에서 각각의 대응❶ 의 길이가 서로 같고, 각각의 대응❷ 의 크기가 서로 같습니다.

[답] ❶ 변 ❷ 각

1 두 사각형은 서로 합동입니다. 변의 길이와 각의 크기를 각각 구하시오.

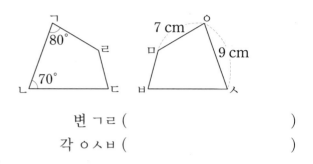

변 ㄱㄹ ( )

각 ㅇㅅㅂ ( )

예제 2 선대칭도형의 성질

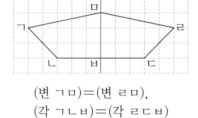

(변 ㄱㅁ)=(변 ㄹㅁ),
(각 ㄱㄴㅂ)=(각 ㄹㄷㅂ)

선대칭도형에서 각각의 대응변의 ❶ 와 대응❷ 의 크기는 서로 같습니다.

[답] ❶ 길이 ❷ 각

2 다음 도형은 선대칭도형입니다. ☐ 안에 알맞은 수를 써 넣으시오.

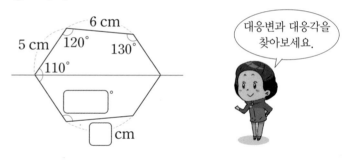

대응변과 대응각을 찾아보세요.

예제 3 점대칭도형의 성질

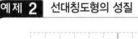

(변 ㄴㄷ)=(변 ㅁㅂ),
(각 ㄱㄴㄷ)=(각 ㄹㅁㅂ)

점대칭도형에서 각각의 ❶ 의 길이와 대응각의 ❷ 는 서로 같습니다.

[답] ❶ 대응변 ❷ 크기

3 다음 도형은 점대칭도형입니다. ☐ 안에 알맞은 수를 써 넣으시오.

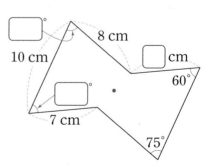

예제 4 직육면체의 성질

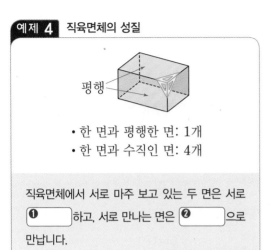

평행

· 한 면과 평행한 면: 1개
· 한 면과 수직인 면: 4개

직육면체에서 서로 마주 보고 있는 두 면은 서로
[❶   ]하고, 서로 만나는 면은 [❷   ]으로
만납니다.

[답] ❶ 평행 ❷ 수직

4 직육면체를 보고 물음에 답하시오.

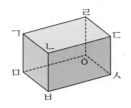

직육면체에서 서로 마주 보는 면은 서로 합동이에요.

(1) 면 ㄱㅁㅇㄹ과 평행한 면을 찾아 쓰시오.
(   )

(2) 면 ㄱㅁㅇㄹ과 수직인 면을 모두 찾아 쓰시오.

예제 5 직육면체의 면, 모서리, 꼭짓점의 수

면의 수(개)	보이는 면	3
	보이지 않는 면	3
모서리의 수(개)	보이는 모서리	9
	보이지 않는 모서리	3
꼭짓점의 수(개)	보이는 꼭짓점	7
	보이지 않는 꼭짓점	1

직육면체는 면이 6개, 모서리가 [❶   ]개, 꼭짓
점이 [❷   ]개입니다.

[답] ❶ 12 ❷ 8

5 직육면체의 겨냥도를 보고 보이는 면, 모서리, 꼭짓점은 각각 몇 개인지 구하시오.

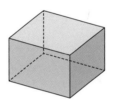

보이는 면: [   ]개
보이는 모서리: [   ]개
보이는 꼭짓점: [   ]개

예제 6 직육면체의 전개도

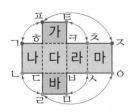

직육면체의 전개도에는 서로 합동인 면이 2개씩 3쌍 있습니다.

직육면체의 전개도를 접었을 때 겹치는 선분끼리
[❶   ]가 같고, 서로 마주 보는 [❷   ]끼리
합동입니다.

[답] ❶ 길이 ❷ 면

6 전개도를 접어서 정육면체를 만들었습니다. 주어진 선분과 겹쳐지는 선분을 찾아 쓰시오.

전개도를 접었을 때 만나서 한 모서리가 되는 선분을 알아보세요.

선분 ㄱㄴ (   )
선분 ㅍㅎ (   )

전략 **1** 합동인 도형의 둘레 구하기

[관련 단원] 합동과 대칭

예 두 사각형이 서로 합동일 때 사각형 ㄱㄴㄷㄹ의 둘레 구하기

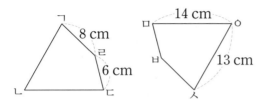

(1) 합동인 도형의 변의 길이 구하기

변 ㄱㄴ의 대응변은 변 ㅅㅇ이므로

(변 ㄱㄴ)=❶[   ] cm이고,

변 ㄴㄷ의 대응변은 변 ㅇㅁ이므로

(변 ㄴㄷ)=❷[   ] cm입니다.

(2) 사각형 ㄱㄴㄷㄹ의 둘레 구하기

(변 ㄱㄴ)+(변 ㄴㄷ)+(변 ㄷㄹ)+(변 ㄹㄱ)=❸[   ]+❹[   ]+6+8=❺[   ] (cm)

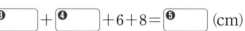

답 ❶ 13 ❷ 14 ❸ 13 ❹ 14 ❺ 41

필수 예제 | 01 |

두 삼각형은 서로 합동입니다. 삼각형 ㄹㅁㅂ의 둘레는 몇 cm인지 구하시오.

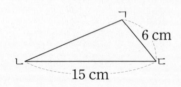

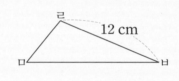

합동인 두 도형에서 각각의 대응변의 길이는 같아요.

(   )

풀이 | 변 ㄹㅁ의 대응변은 변 ㄱㄷ이므로 (변 ㄹㅁ)=(변 ㄱㄷ)=6 cm입니다.

변 ㅁㅂ의 대응변은 변 ㄷㄴ이므로 (변 ㅁㅂ)=(변 ㄷㄴ)=15 cm입니다.

➡ (삼각형 ㄹㅁㅂ의 둘레)=(변 ㄹㅁ)+(변 ㅁㅂ)+(변 ㅂㄹ)=6+15+12=33 (cm)

확인 **1**-1

두 삼각형은 서로 합동입니다. 삼각형 ㄱㄴㄷ의 둘레는 몇 cm인지 구하시오.

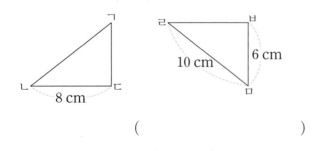

(   )

확인 **1**-2

두 사각형은 서로 합동입니다. 사각형 ㅁㅂㅅㅇ의 둘레는 몇 cm인지 구하시오.

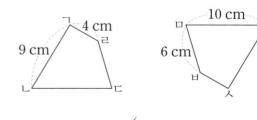

(   )

전략 2 **대칭의 중심 찾아 표시하기** [관련 단원] 합동과 대칭

예 점대칭도형의 대칭의 중심을 찾아 표시하기

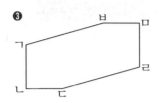

점대칭도형에서 대응점끼리 각각 이은 선분이 만나는 점이 대칭의 중심이에요.

(1) 점대칭도형에서 대응점 찾기

점 ㄱ의 대응점 ― 점 ㄹ, 점 ㄴ의 대응점 ― 점 ❶   , 점 ㄷ의 대응점 ― 점 ❷

(2) 대칭의 중심을 찾아 표시하기

위의 점대칭도형에서 대응점끼리 선분으로 잇습니다.

대응점끼리 이은 선분들이 만나는 점을 찾아 표시합니다.

답 ❶ ㅁ ❷ ㅂ ❸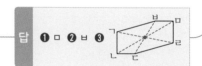

필수 예제 02

다음 도형은 점대칭도형입니다. 대칭의 중심을 찾아 점 ㅇ으로 표시해 보시오.

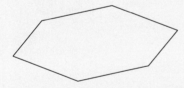

(1) 점대칭도형의 대응점끼리 각각 이으시오.

(2) 점대칭도형의 대칭의 중심을 찾아 점 ㅇ으로 표시해 보시오.

풀이 | (1) 각 점의 대응점을 찾아 선분으로 잇습니다. 대응점은 3쌍입니다.

(2) 대응점끼리 각각 이은 선분이 만나는 점이 대칭의 중심입니다.

확인 2-1

다음 도형은 점대칭도형입니다. 대칭의 중심을 찾아 점 ㅇ으로 표시해 보시오.

확인 2-2

다음 도형은 점대칭도형입니다. 대칭의 중심을 찾아 점 ㅇ으로 표시해 보시오.

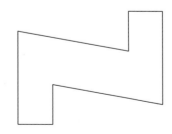

전략 3 정육면체의 모든 모서리의 길이의 합 구하기   [관련 단원] 직육면체

예 한 모서리의 길이가 5 cm인 정육면체의 모든 모서리의 길이의 합 구하기

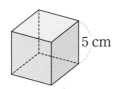

5 cm

정육면체는 모든 면이 정사각형이니까 모든 모서리의 길이가 같아요.

(1) 정육면체의 모서리의 수 알아보기: 정육면체의 모서리는 모두 ❶◻️개입니다.

(2) 정육면체의 모든 모서리의 길이의 합 구하기

길이가 5 cm인 모서리가 ❷◻️개이므로 모든 모서리의 길이의 합은

$5 \times$ ❸◻️ $=$ ❹◻️ (cm)입니다.

답 ❶ 12 ❷ 12 ❸ 12 ❹ 60

필수 예제 03

오른쪽과 같이 한 모서리의 길이가 12 cm인 정육면체가 있습니다. 이 정육면체의 모든 모서리의 길이의 합은 몇 cm인지 구하시오.

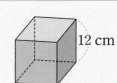

12 cm

(1) 길이가 12 cm인 모서리가 몇 개인지 구하시오.

(   )

(2) 정육면체의 모든 모서리의 길이의 합은 몇 cm인지 구하시오.

(   )

풀이 | (1) 정육면체의 모든 모서리의 길이는 같고, 모서리의 수는 12개이므로 길이가 12 cm인 모서리는 12개입니다.
　　　(2) (정육면체의 모든 모서리의 길이의 합)$=12 \times 12 = 144$ (cm)

확인 3-1

한 모서리의 길이가 15 cm인 정육면체가 있습니다. 이 정육면체의 모든 모서리의 길이의 합은 몇 cm인지 구하시오.

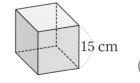

15 cm

(   )

확인 3-2

한 모서리의 길이가 7 cm인 정육면체 모양의 주사위가 있습니다. 이 주사위의 모든 모서리의 길이의 합은 몇 cm인지 구하시오.

(   )

전략 4 직육면체에서 보이는 모서리의 길이의 합 구하기

[관련 단원] 직육면체

예 직육면체에서 보이는 모서리의 길이의 합 구하기

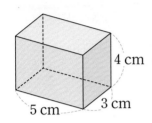

(1) 보이는 모서리 알아보기

보이는 모서리 중에서 길이가 5 cm인 모서리는 ❶ 개,

3 cm인 모서리는 ❷ 개, 4 cm인 모서리는 ❸ 개입니다.

(2) 보이는 모서리의 길이의 합 구하기

$(5+3+4) \times$ ❹ $=$ ❺ (cm)

답 ❶ 3 ❷ 3 ❸ 3 ❹ 3 ❺ 36

필수예제 | 04 |

직육면체에서 보이는 모서리의 길이의 합은 몇 cm인지 구하시오.

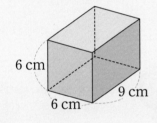

(1) 보이는 모서리 중 길이가 6 cm, 9 cm인 모서리의 수를 각각 구하시오.

길이가 6 cm인 모서리 ( )

길이가 9 cm인 모서리 ( )

(2) 보이는 모서리의 길이의 합은 몇 cm인지 구하시오.

( )

풀이 | (1) 직육면체에서 실선으로 나타낸 모서리 중에서 길이가 6 cm인 모서리는 6개이고, 길이가 9 cm인 모서리는 3개입니다.

(2) (보이는 모서리의 길이의 합)$=6 \times 6 + 9 \times 3 = 36 + 27 = 63$ (cm)

확인 **4**-1

직육면체에서 보이는 모서리의 길이의 합은 몇 cm인지 구하시오.

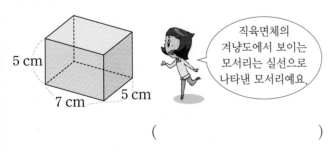

직육면체의 겨냥도에서 보이는 모서리는 실선으로 나타낸 모서리예요.

( )

확인 **4**-2

직육면체에서 보이는 모서리의 길이의 합은 몇 cm인지 구하시오.

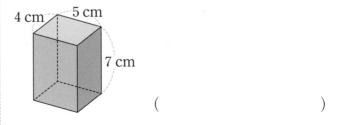

( )

[관련 단원] **합동과 대칭**

1 주어진 도형과 서로 합동인 도형을 그려 보시오.

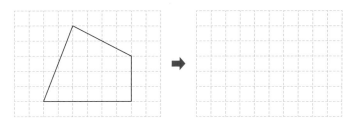

Tip

모양과 크기가 같아서 포개었을 때 완전히 겹치는 두 도형을 서로 ❶⬜️이라고 합니다.
따라서 주어진 도형과 모양과 ❷⬜️가 같은 도형을 그립니다.

답 ❶ 합동 ❷ 크기

[관련 단원] **합동과 대칭**

2 다음 도형은 선대칭도형입니다. ⬜️ 안에 알맞게 써넣으시오.

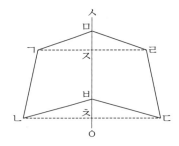

Tip

• 선대칭도형의 각각의 대응점에서 대칭축까지의 거리는 서로 ❶⬜️.
• 선대칭도형의 대응점끼리 이은 선분은 ❷⬜️과 수직으로 만납니다.

답 ❶ 같습니다 ❷ 대칭축

선대칭도형의 대응점끼리 이은 선분과 대칭축 사이의 관계를 알아봐요.

(1) 선분 ㄱㅈ과 길이가 같은 선분은 선분 ⬜️입니다.

(2) 선분 ㄱㄹ과 대칭축이 만나서 이루는 각은 ⬜️°입니다.

[관련 단원] **합동과 대칭**

3 ❶선대칭도형이면서 ❷점대칭도형인 것을 모두 찾아 기호를 쓰시오.

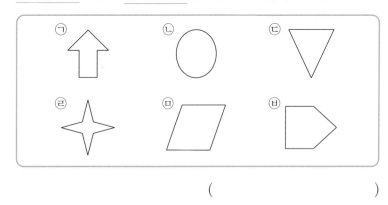

Tip

❶ 선대칭도형인 것을 모두 찾아보면 ㉠, ㉡, ㉢, ❶⬜️, ❷⬜️입니다.
❷ 점대칭도형인 것을 모두 찾아보면 ❸⬜️, ❹⬜️, ㉤입니다.

답 ❶ ㉣ ❷ ㉥ ❸ ㉡ ❹ ㉣

( )

[관련 단원] **직육면체**

4 그림을 보고 물음에 답하시오.

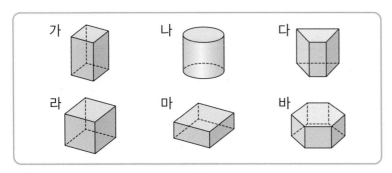

가　　나　　다

라　　마　　바

(1) ^①직육면체를 모두 찾아 기호를 쓰시오.

(　　　　　　　)

(2) ^②정육면체를 찾아 기호를 쓰시오.

(　　　　　　　)

❶ 직육면체는 직사각형 ^① 개로 둘러싸인 도형입니다.

❷ 정육면체는 ^② 사각형 ^③ 개로 둘러싸인 도형입니다.

답 ❶ 6 ❷ 정 ❸ 6

정육면체는 직육면체이기도 해요.

[관련 단원] **직육면체**

5 직육면체에 대해 바르게 설명한 사람을 찾아 이름을 쓰시오.

직육면체는 꼭짓점이 모두 8개예요.

한 면과 수직인 면은 모두 1개예요.

직육면체의 면은 모두 합동이에요.

소라　　　　태서　　　　정표

(　　　　　　　)

Tip

• 직육면체는 꼭짓점이 모두 ^① 개입니다.

• 직육면체에서 한 면과 수직인 면은 모두 ^② 개입니다.

• 직육면체에서 합동인 면은 2개씩 ^③ 쌍입니다.

답 ❶ 8 ❷ 4 ❸ 3

[관련 단원] **직육면체**

6 직육면체의 전개도로 알맞은 것을 모두 찾아 기호를 쓰시오.

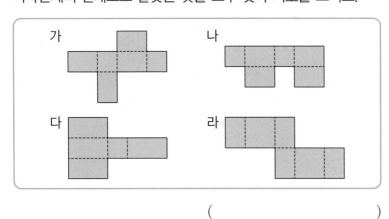

가　　나

다　　라

(　　　　　　　)

Tip

직육면체의 전개도는 직사각형 ^① 개로 이루어져 있습니다.
직육면체의 전개도를 접었을 때 겹치는 면이 없고, 만나는 선분끼리 길이가 ^② .

답 ❶ 6 ❷ 같습니다

전략 1 · 선대칭도형의 대칭축 개수
[관련 단원] 합동과 대칭

예 대칭축이 가장 많은 선대칭도형 찾기

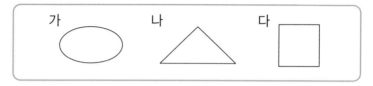

(1) 대칭축의 개수 알아보기

각 선대칭도형의 대칭축의 개수를 알아보면 가는 ❶ 개, 나는 ❷ 개, 다는 ❸ 개입니다.

(2) 대칭축이 가장 많은 선대칭도형 찾기

가, 나, 다 중에서 대칭축이 가장 많은 선대칭도형은 ❹ 입니다.

답 ❶ 2 ❷ 1 ❸ 4 ❹ 다

필수예제 01

다음 도형 중 대칭축이 가장 적은 선대칭도형을 찾아 기호를 쓰시오.

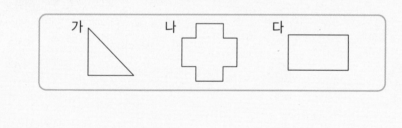

대칭축이 가장 적은 것을 찾아요!

( )

풀이 |

대칭축의 개수를 비교하면 1개 < 2개 < 4개이므로 대칭축이 가장 적은 선대칭도형은 가입니다.

확인 1-1

다음 도형 중 대칭축이 가장 적은 선대칭도형을 찾아 기호를 쓰시오.

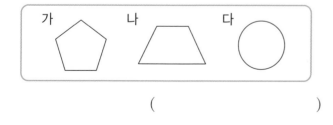

( )

확인 1-2

다음 도형 중 대칭축이 가장 많은 선대칭도형을 찾아 기호를 쓰시오.

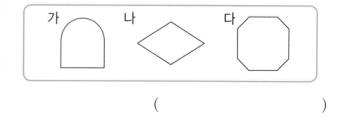

( )

전략 2 점대칭도형의 둘레 구하기

[관련 단원] 합동과 대칭

예 점대칭도형의 둘레 구하기

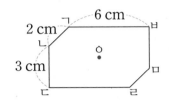

점대칭도형에서 각각의 대응변의 길이는 서로 같아요.

(1) 점대칭도형의 변의 길이 알아보기

(변 ㄷㄹ)＝(변 ㅂㄱ)＝6 cm, (변 ㄹㅁ)＝(변 ㄱㄴ)＝❶ ☐ cm, (변 ㅁㅂ)＝(변 ㄴㄷ)＝❷ ☐ cm

(2) 점대칭도형의 둘레 구하기: (6＋2＋❸ ☐)×2＝❹ ☐ (cm)

답 ❶ 2 ❷ 3 ❸ 3 ❹ 22

필수 예제 02

점 ㅇ을 대칭의 중심으로 하는 점대칭도형입니다. 이 점대칭도형의 둘레가 몇 cm인지 구하시오.

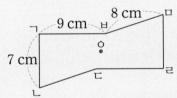

(1) 점대칭도형의 변의 길이를 구하시오.

(변 ㄴㄷ)＝☐ cm, (변 ㄷㄹ)＝☐ cm, (변 ㄹㅁ)＝☐ cm

(2) 점대칭도형의 둘레를 구하시오.

( )

풀이 | (1) (변 ㄴㄷ)＝(변 ㅁㅂ)＝8 cm, (변 ㄷㄹ)＝(변 ㅂㄱ)＝9 cm, (변 ㄹㅁ)＝(변 ㄱㄴ)＝7 cm

(2) (점대칭도형의 둘레)＝(8＋9＋7)×2＝24×2＝48 (cm)

확인 2-1

점 ㅇ을 대칭의 중심으로 하는 점대칭도형입니다. 이 점대칭도형의 둘레가 몇 cm인지 구하시오.

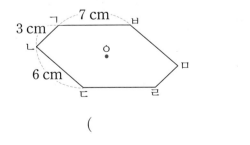

( )

확인 2-2

점 ㅇ을 대칭의 중심으로 하는 점대칭도형입니다. 이 점대칭도형의 둘레가 몇 cm인지 구하시오.

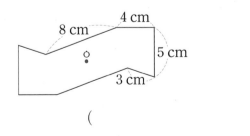

( )

전략 **3** 직육면체의 면, 모서리, 꼭짓점의 수 [관련 단원] 직육면체

예 직육면체에서 보이는 면을 ㉠개, 보이지 않는 모서리를 ㉡개라고 할 때, ㉠+㉡은 얼마인지 구하기

보이지 않는 모서리는 점선으로 나타내었어요.

(1) 직육면체에서 보이는 면의 수(㉠)와 보이지 않는 모서리의 수(㉡) 알아보기

직육면체에서 보이는 면은 **❶**　개입니다. ➡ ㉠=**❷**

직육면체에서 보이지 않는 모서리는 **❸**　개입니다. ➡ ㉡=**❹**

(2) ㉠+㉡은 얼마인지 구하기: ㉠+㉡=**❺**

답 **❶**3 **❷**3 **❸**3 **❹**3 **❺**6

필수 예제 **03**

직육면체에서 보이지 않는 꼭짓점을 ㉠개, 보이는 모서리를 ㉡개라고 할 때, ㉠+㉡은 얼마인지 구하시오.

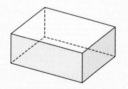

직육면체에서 보이지 않는 모서리들이 만나는 점이 보이지 않는 꼭짓점이에요.

(1) ㉠과 ㉡을 각각 구하시오.　㉠ (　　　　　　　), ㉡ (　　　　　　　)

(2) ㉠+㉡은 얼마인지 구하시오.　　　　　　　　　　(　　　　　　　)

풀이 | (1) 직육면체에서 보이지 않는 꼭짓점은 1개이고, 보이는 모서리는 9개입니다. ➡ ㉠=1, ㉡=9

(2) ㉠+㉡=1+9=10

확인 **3**-1

직육면체에서 보이는 꼭짓점을 ㉠개, 보이지 않는 꼭짓점을 ㉡개라고 할 때, ㉠-㉡은 얼마인지 구하시오.

(　　　　　　　)

확인 **3**-2

직육면체에서 보이지 않는 면을 ㉠개, 보이지 않는 모서리를 ㉡개라고 할 때, ㉠-㉡은 얼마인지 구하시오.

(　　　　　　　)

▶정답 및 풀이 13쪽

전략 4 정육면체의 전개도를 접었을 때 마주 보는 면

[관련 단원] 직육면체

예 접었을 때 마주 보는 면의 수의 합이 7인 정육면체의 전개도에서 ■, ▲, ●에 알맞은 수 구하기

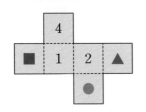

> 전개도를 접었을 때 마주 보는 면은 서로 만나지 않아요.

(1) 전개도를 접었을 때 각 면과 마주 보는 면의 기호 알아보기

4 와 마주 보는 면: ● , 1 과 마주 보는 면: ❶ , 2 와 마주 보는 면: ❷

(2) ■, ▲, ●에 알맞은 수 구하기: ■=7−❸=❹ , ▲=7−❺=❻ , ●=7−4=3

답 ❶▲ ❷■ ❸2 ❹5 ❺1 ❻6

2주

필수예제 04

전개도를 접어 정육면체를 만들었을 때 마주 보는 면의 수의 합이 7입니다. ㉠, ㉡, ㉢에 알맞은 수를 각각 구하시오.

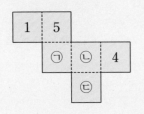

(1) 전개도를 접었을 때 각 면과 마주 보는 면의 기호를 써넣으시오.

1 − ☐ 　 5 − ☐ 　 4 − ☐

(2) ㉠, ㉡, ㉢에 알맞은 수를 각각 구하시오.

㉠ (　　　), ㉡ (　　　), ㉢ (　　　)

풀이 | (1) 전개도를 접었을 때 마주 보는 면은 1과 ㉡, 5와 ㉢, 4와 ㉠입니다.
(2) 마주 보는 면의 수의 합이 7이므로 ㉠=7−4=3, ㉡=7−1=6, ㉢=7−5=2입니다.

확인 4-1

전개도를 접어 정육면체를 만들었을 때 마주 보는 면의 수의 합이 7입니다. 전개도의 비어 있는 면에 알맞은 수를 써넣으시오.

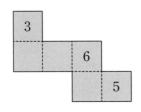

확인 4-2

전개도를 접어 정육면체를 만들었을 때 마주 보는 면의 수의 합이 7입니다. 전개도의 비어 있는 면에 알맞은 수를 써넣으시오.

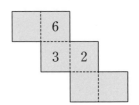

[관련 단원] **합동과 대칭**

1 다음 도형은 선대칭도형입니다. 대칭축을 모두 그리시오.

[관련 단원] **합동과 대칭**

2 점 ㅇ을 대칭의 중심으로 하는 점대칭도형입니다. 길이가 같은
선분을 쓰시오.

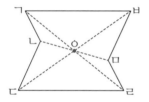

선분 ㄱㅇ과 선분 [   ]

선분 ㄴㅇ과 선분 [   ]

선분 ㄷㅇ과 선분 [   ]

[관련 단원] **합동과 대칭**

3 점 ㅇ을 대칭의 중심으로 하는 점대칭도형을 완성하시오.

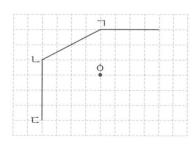

대칭의
중심에서 도형의
한 꼭짓점까지의 거리는
다른 대응하는
꼭짓점까지의 거리와
같아요.

▶정답 및 풀이 14쪽

[관련 단원] **직육면체**

4 직육면체에서 보이지 않는 면, 보이지 않는 모서리, 보이지 않는 꼭짓점의 수를 모두 더하면 몇 개인지 구하시오.

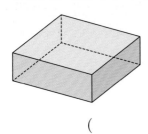

(   )

[관련 단원] **직육면체**

5 다음 직육면체에서 면 ㄴㅂㅅㄷ과 평행한 면의 넓이는 몇 cm² 인지 구하시오.

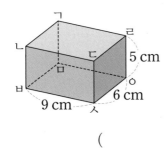

5 cm
9 cm
6 cm

(   )

[관련 단원] **직육면체**

6 정육면체의 전개도를 그렸습니다. 빠진 부분을 그려 전개도를 완성하시오.

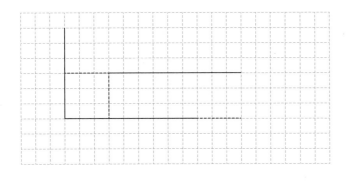

대표 예제 | 01 |

두 도형은 서로 합동입니다. 대응점, 대응변, 대응각이 각각 몇 쌍 있는지 구하시오.

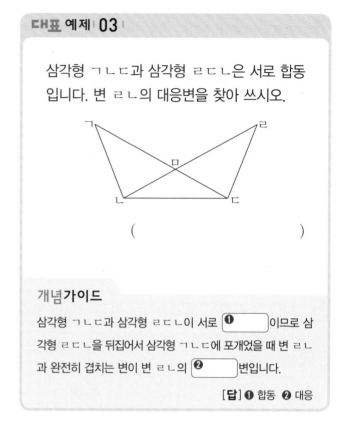

합동인 두 도형에서 대응점, 대응변, 대응각을 찾아보세요.

대응점: ☐ 쌍

대응변: ☐ 쌍

대응각: ☐ 쌍

개념가이드

두 도형은 서로 합동인 **①** ☐ 각형입니다.

따라서 대응점, 대응변, 대응각이 각각 **②** ☐ 쌍 있습니다.

[답] ❶ 사 ❷ 4

대표 예제 | 02 |

선대칭도형의 대칭축을 잘못 나타낸 것은 어느 것입니까? (   )

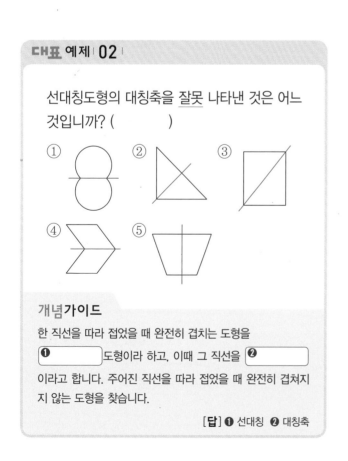

① ② ③ ④ ⑤

개념가이드

한 직선을 따라 접었을 때 완전히 겹치는 도형을 **①** ☐ 도형이라 하고, 이때 그 직선을 **②** ☐ 이라고 합니다. 주어진 직선을 따라 접었을 때 완전히 겹쳐지지 않는 도형을 찾습니다.

[답] ❶ 선대칭 ❷ 대칭축

대표 예제 | 03 |

삼각형 ㄱㄴㄷ과 삼각형 ㄹㄷㄴ은 서로 합동입니다. 변 ㄹㄴ의 대응변을 찾아 쓰시오.

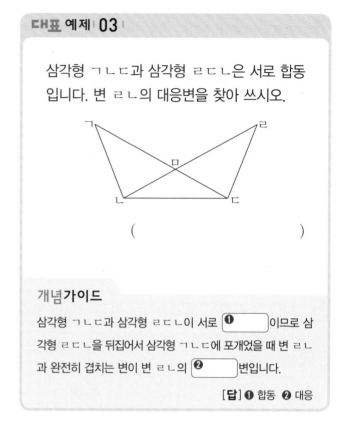

(   )

개념가이드

삼각형 ㄱㄴㄷ과 삼각형 ㄹㄷㄴ이 서로 **①** ☐ 이므로 삼각형 ㄹㄷㄴ을 뒤집어서 삼각형 ㄱㄴㄷ에 포개었을 때 변 ㄹㄴ과 완전히 겹치는 변이 변 ㄹㄴ의 **②** ☐ 변입니다.

[답] ❶ 합동 ❷ 대응

대표 예제 | 04 |

직선 ㄱㄴ을 대칭축으로 하는 선대칭도형을 완성하시오.

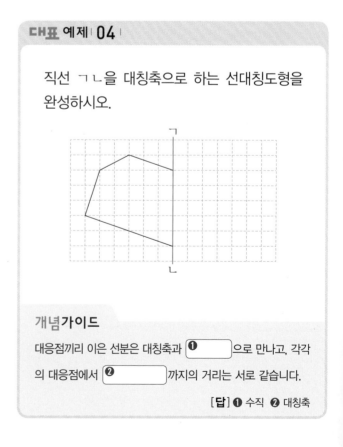

개념가이드

대응점끼리 이은 선분은 대칭축과 **①** ☐ 으로 만나고, 각각의 대응점에서 **②** ☐ 까지의 거리는 서로 같습니다.

[답] ❶ 수직 ❷ 대칭축

항상 널 응원해!

대표 예제 | 05 |

다음 도형은 점대칭도형입니다. 대칭의 중심을 찾아 표시하시오.

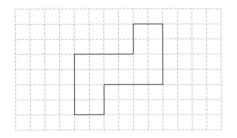

개념가이드

점대칭도형에서 대응 **❶** 끼리 이은 선분이 만나는 점이 대칭의 **❷** 입니다.

[답] ❶ 점 ❷ 중심

대표 예제 | 06 |

점대칭도형인 알파벳을 모두 찾아 쓰시오.

D E M N
O T U X

(   )

개념가이드

점대칭도형은 어떤 점을 중심으로 **❶** ° 돌렸을 때 처음 도형과 완전히 겹치는 도형입니다.

❷ ° 돌렸을 때 처음 도형과 완전히 겹치는 알파벳을 모두 찾아봅니다.

[답] ❶ 180 ❷ 180

대표 예제 | 07 |

직선 ㄱㄴ을 대칭축으로 하는 선대칭도형입니다. 이 선대칭도형의 둘레를 구하시오.

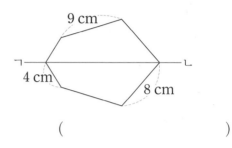

(   )

개념가이드

선대칭도형은 대응변의 길이가 같으므로 주어진 선대칭도형의 둘레는 ((4+ **❶** +8)× **❷**) cm입니다.

[답] ❶ 9 ❷ 2

대표 예제 | 08 |

사각형 ㄱㄴㄷㄹ은 직선 ㅁㅂ을 대칭축으로 하는 선대칭도형입니다. 이 사각형의 넓이는 몇 cm^2인지 구하시오.

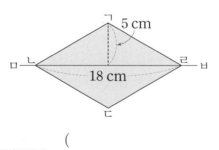

(   )

개념가이드

사각형 ㄱㄴㄷㄹ은 직선 ㅁㅂ을 따라 접었을 때 완전히 겹치므로 삼각형 ㄴㄱㄹ과 삼각형 **❶** 은 서로 합동입니다. 합동인 두 도형은 넓이가 서로 **❷** .

[답] ❶ ㄴㄷㄹ ❷ 같습니다

2
주

대표 예제 | 09 |

직육면체 모양의 물건은 모두 몇 개입니까?

가 　나 　다

라 　마 　바

(　　　　　　　)

개념가이드

주어진 물건 중에서 직사각형 6개로 둘러싸인 모양의 물건을 모두 찾아보면 가, ❶　, ❷　입니다.

[답] ❶ 나 ❷ 라

대표 예제 | 10 |

직육면체에 대해 바르게 설명한 것을 찾아 기호를 쓰시오.

> ㉠ 직육면체에서 서로 평행한 두 면을 직육면체의 옆면이라고 합니다.
> ㉡ 직육면체에는 평행한 면이 3쌍 있습니다.
> ㉢ 직육면체에서 한 면과 만나는 면은 모두 2개이고, 수직으로 만납니다.

(　　　　　　　)

개념가이드

직육면체에서 계속 늘여도 만나지 않는 두 면을 서로 ❶　 하다고 하고, 이 두 면을 직육면체의 ❷　 이라고 합니다.

[답] ❶ 평행 ❷ 밑면

대표 예제 | 11 |

정육면체의 모든 모서리의 길이의 합이 96 cm 입니다. 이 정육면체의 한 모서리의 길이는 몇 cm인지 구하시오.

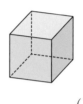　

> 정육면체는 정사각형 6개로 둘러싸인 도형이에요.

(　　　　　　　　　　　　)

개념가이드

정육면체는 모서리가 모두 ❶　 개입니다.

정육면체는 모든 모서리의 길이가 ❷　 .

[답] ❶ 12 ❷ 같습니다

대표 예제 | 12 |

직육면체의 전개도를 그렸습니다. 빠진 부분을 그려 전개도를 완성하시오.

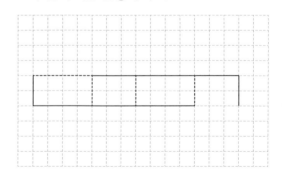

개념가이드

직육면체의 전개도는 합동인 면이 ❶　 개씩 ❷　 쌍이 있어야 하고, 전개도를 접었을 때 겹치는 선분끼리 길이가 같아야 합니다.

[답] ❶ 2 ❷ 3

넌 최고야!

대표 예제 | 13 |

전개도를 접어서 정육면체를 만들었을 때 색칠한 면과 수직인 면에 모두 색칠하시오.

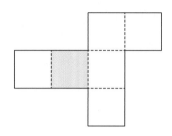

개념가이드

전개도를 접었을 때 색칠한 면과 [❶]인 면은 색칠한 면과 만나는 면입니다. 색칠한 면과 수직인 면은 모두 [❷]개입니다.

[답] ❶ 수직 ❷ 4

대표 예제 | 15 |

직육면체의 전개도를 그린 것입니다. ☐ 안에 알맞은 수를 써넣으시오.

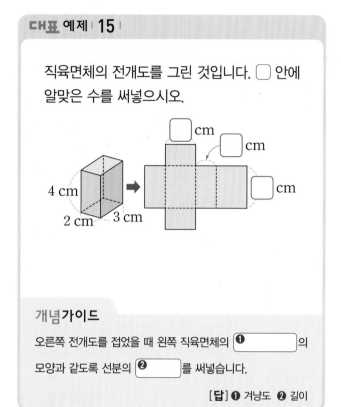

개념가이드

오른쪽 전개도를 접었을 때 왼쪽 직육면체의 [❶]의 모양과 같도록 선분의 [❷]를 써넣습니다.

[답] ❶ 겨냥도 ❷ 길이

대표 예제 | 14 |

정육면체의 모서리를 잘라서 정육면체의 전개도를 만들었습니다. ☐ 안에 알맞은 기호를 써넣으시오.

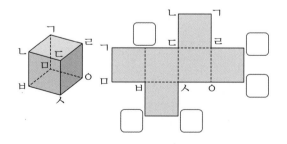

개념가이드

전개도를 접었을 때 만나는 점을 각각 찾아보고 만나는 [❶]과 같은 [❷]를 써넣습니다.

[답] ❶ 점 ❷ 기호

대표 예제 | 16 |

보기 와 같이 무늬(◆) 3개가 그려져 있는 정육면체를 만들 수 있도록 다음 전개도에 무늬(◆) 1개를 그려 넣으시오.

보기

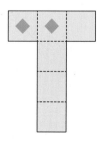

개념가이드

무늬(◆)가 있는 면 3개가 서로 [❶]으로 만나므로 전개도에 그려진 무늬(◆)가 있는 면 2개와 각각 [❷]한 면을 제외한 나머지 면에 무늬를 그릴 수 있습니다.

[답] ❶ 수직 ❷ 평행

1 우리나라와 다른 나라에서 사용하는 교통안전 표지판입니다. 모양이 서로 합동인 표지판끼리 선으로 이으시오. (표지판의 색깔과 표지판 안의 그림은 생각하지 않습니다.)

Tip

표지판의 색깔과 표지판 안의 그림은 생각하지 않고 표지판의 **❶** 과 크기가 서로 같아서 포개었을 때 완전히 겹치는 것끼리 **❷** 으로 잇습니다.

답 ❶ 모양 ❷ 선

2 두 삼각형은 서로 합동입니다. 각 ㄹㅂㅁ은 몇 도인지 구하시오.

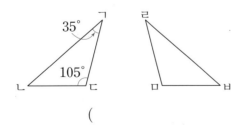

( )

Tip

각 ㄹㅂㅁ의 대응각은 각 **❶** 입니다.
합동인 두 도형에서 대응각의 크기는 서로 같으므로 각 ㄹㅂㅁ의 크기는 각 **❷** 의 크기와 같습니다.

답 ❶ ㄱㄴㄷ ❷ ㄱㄴㄷ

3 직선 ㄱㄴ을 대칭축으로 하는 선대칭도형을 완성하고, 숨겨진 단어가 무엇인지 쓰시오.

( )

Tip

대칭 **❶** 인 직선 ㄱㄴ을 기준으로 아래쪽에 **❷** 쪽과 같은 모양을 그려 선대칭도형을 완성합니다. 숨겨진 글자는 두 글자 단어입니다.

답 ❶ 축 ❷ 위

4 점 ㅇ을 대칭의 중심으로 하는 점대칭도형의 둘레가 32 cm입니다. 변 ㄴㄷ은 몇 cm인지 구하시오.

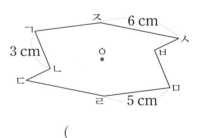

( )

Tip

점대칭도형은 각각의 대응변의 길이가 서로 같으므로
(변 ㅁㅂ)=(변 **❶**), (변 ㄷㄹ)=(변 **❷**),
(변 ㄱㅈ)=(변 **❸**), (변 ㄴㄷ)=(변 ㅂㅅ)입니다.

답 ❶ ㄱㄴ ❷ ㅅㅈ ❸ ㅁㄹ

5 직육면체의 겨냥도에서 보이는 모서리를 ㉠개, 보이지 않는 면을 ㉡개, 보이는 꼭짓점을 ㉢개라고 할 때, ㉠+㉡+㉢은 얼마인지 구하시오.

직육면체의 겨냥도를 보고 각각의 수를 세어 보세요.

(   )

Tip

• 직육면체의 겨냥도에서 보이는 모서리는 [❶]개입니다.

• 직육면체의 겨냥도에서 보이지 않는 면은 [❷]개입니다.

• 직육면체의 겨냥도에서 보이는 꼭짓점은 [❸]개입니다.

답 ❶9 ❷3 ❸7

6 직육면체의 모든 모서리의 길이의 합은 몇 cm 인지 구하시오.

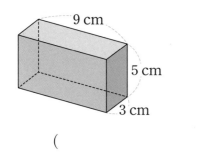

9 cm
5 cm
3 cm

(   )

Tip

길이가 9 cm인 모서리가 [❶]개, 5 cm인 모서리가 [❷]개, 3 cm인 모서리가 [❸]개 있습니다.

답 ❶4 ❷4 ❸4

7 직육면체의 겨냥도를 보고 전개도를 완성하시오.

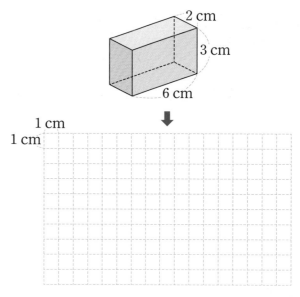

2 cm
3 cm
6 cm

↓

1 cm
1 cm

Tip

겨냥도를 보고 모서리의 길이를 맞춰서 마주 보는 면 [❶]쌍의 모양과 크기가 같고 서로 겹치는 면이 없으며 접었을 때 만나는 모서리의 [❷]가 같도록 전개도를 그립니다.

답 ❶3 ❷길이

8 한 모서리의 길이가 2 cm인 정육면체의 전개도를 그려 보시오.

1 cm
1 cm

Tip

정육면체의 전개도는 [❶]사각형 모양의 면이 6개 있습니다.

한 변의 길이가 모눈 [❷]칸인 [❸]사각형 모양의 면 6개를 접었을 때 서로 겹치는 부분이 없도록 그립니다.

답 ❶정 ❷2 ❸정

01 두 삼각형은 서로 합동입니다. 물음에 답하시오.

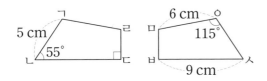

(1) 변 ㄱㄹ은 몇 cm입니까?

( )

(2) 각 ㅂㅅㅇ은 몇 도입니까?

( )

04 다음 도형은 선대칭도형입니다. 대칭축을 모두 그려 보시오.

(1)

선대칭도형은 대칭축이 여러 개일 수도 있어요.

(2)

[02~03] 도형을 보고 물음에 답하시오.

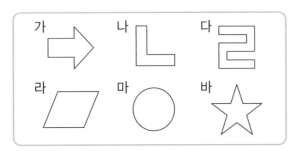

02 선대칭도형을 모두 찾아 기호를 쓰시오.

( )

05 점 ㅇ을 대칭의 중심으로 하는 점대칭도형을 완성하시오.

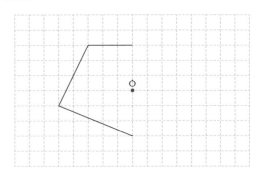

03 점대칭도형을 모두 찾아 기호를 쓰시오.

( )

06 직육면체를 보고 ⬜ 안에 각 부분의 이름을
알맞게 써넣으시오.

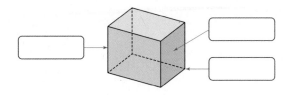

09 전개도를 접어서 정육면체를 만들었습니다.
물음에 답하시오.

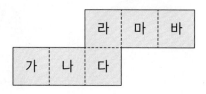

(1) 면 나와 평행한 면을 찾아 쓰시오.

( )

(2) 면 가와 수직인 면을 모두 찾아 쓰시오.

_____

_____

07 직육면체를 바르게 설명한 것에 ○표, 그렇지
않은 것에 ×표 하시오.

(1) 꼭짓점은 모두 12개입니다. ( )

(2) 서로 평행한 면은 모두 2쌍입니다.
( )

(3) 한 모서리에서 만나는 두 면은 서로 수직
입니다. ( )

10 직육면체의 겨냥도를 보고 전개도를 완성하
시오.

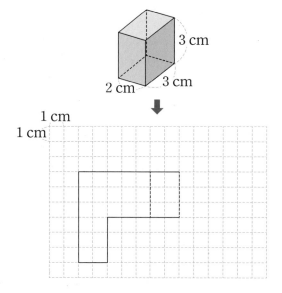

08 직육면체의 겨냥도를 바르게 그린 것을 찾아
기호를 쓰시오.

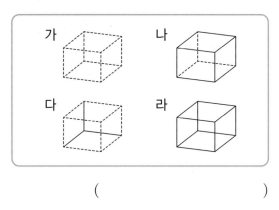

( )

1 위 대화를 읽고 선대칭도형인 젤리를 모두 찾아 기호를 쓰시오.

( )

2 위 대화를 읽고 정육면체 상자를 찾아 기호를 쓰시오.

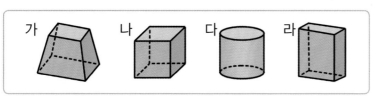

(   )

1 다음은 여러 나라의 국기입니다. 국기가 점대칭도형인 나라 이름을 모두 쓰시오.

| 베트남 | 나이지리아 | 덴마크 | 자메이카 | 태국 | 콜롬비아 |

(   )

Tip

각 국기를 어떤 점을 중심으로 ❶ 180 °돌려 보고, 돌린 모양이 ❷ 처음 모양과 완전히 겹치는 국기를 찾아 나라 이름을 씁니다.

[답] ❶ 180 ❷ 처음

추론

2 다음과 같은 방법으로 표창을 접었습니다. 완성된 표창을 보고 바르게 설명한 사람은 누구입니까?

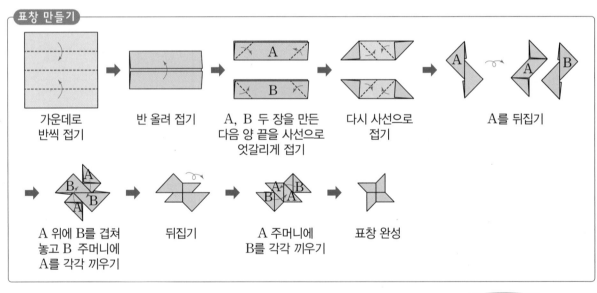

표창 만들기

가운데로 반씩 접기 → 반 올려 접기 → A, B 두 장을 만든 다음 양 끝을 사선으로 엇갈리게 접기 → 다시 사선으로 접기 → A를 뒤집기

A 위에 B를 겹쳐 놓고 B 주머니에 A를 각각 끼우기 → 뒤집기 → A 주머니에 B를 각각 끼우기 → 표창 완성

> 표창은 선대칭도형이에요.
> **소라**

> 표창은 점대칭도형이에요.
> **태서**

> 표창은 선대칭도형도 아니고 점대칭도형도 아니에요.
> **정표**

(   )

Tip

한 직선을 따라 접었을 때 완전히 겹치는 도형을 ❶ 선대칭도형 이라고 합니다.

한 도형을 어떤 점을 중심으로 180° 돌렸을 때 처음 도형과 완전히 겹치면 이 도형을 ❷ 점대칭도형 이라고 합니다.

[답] ❶ 선대칭도형 ❷ 점대칭도형

코딩

3 대칭축 위의 빨간 점에서 시작하여 동작 버튼을 눌러서 선대칭도형을 그리려고 합니다. 연필을 움직여 선대칭도형을 그리려면 어떤 버튼을 눌러야 하는지 선대칭도형을 완성하고 빈칸에 차례로 화살표를 채우시오.

Tip ------

대칭축을 기준으로 왼쪽 부분의 각 점의 **❶**[　　　]점을 찾아 표시한 후 차례로 이어 선대칭도형을 완성합니다.

빨간 점에서 시작하여 선을 그린 방향과 모눈의 **❷**[　　　] 수를 세어 빈칸에 알맞은 화살표를 채웁니다.

[답] ❶ 대응 ❷ 칸

코딩

4 보기 의 디지털 숫자를 다음과 같은 순서에 따라 분류하는 프로그램에 넣었습니다. 시작 부분에 디지털 숫자를 넣었을 때 ㉠, ㉡, ㉢으로 나오는 디지털 숫자를 각각 구하시오.

보기

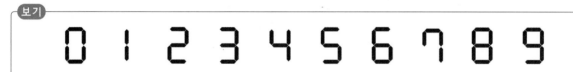

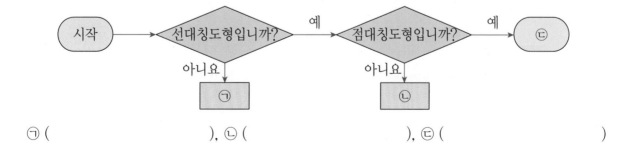

㉠ (　　　　　　　　　), ㉡ (　　　　　　　　　), ㉢ (　　　　　　　　　)

Tip ------

㉠: 선대칭도형이 아닌 숫자, ㉡: 선대칭도형이면서 점대칭도형이 **❶**[　　　] 숫자, ㉢: 선대칭도형이면서 **❷**[　　　]대칭도형인 숫자

[답] ❶ 아닌 ❷ 점

문제 해결

5 세호는 수수깡을 이용하여 다음과 같이 한 모서리의 길이가 16 cm인 정육면체 모양을 만들었습니다. 세호가 만든 정육면체 모양의 모든 모서리의 길이의 합은 몇 cm인지 구하시오.

> 수수깡 한 개의 길이가 16 cm예요.

(   )

Tip

정육면체의 모서리의 길이는 모두 같고, 모서리가 모두 ❶⬚ 개입니다.

따라서 세호가 만든 정육면체의 모든 모서리의 길이의 합은 (16 × ❷⬚) cm입니다.

[답] ❶ 12   **❷** 12

추론

6 직육면체 모양의 선물 상자를 그림과 같이 끈으로 묶었습니다. 직육면체의 전개도가 다음과 같을 때, 끈이 지나가는 자리를 그려 넣으시오.

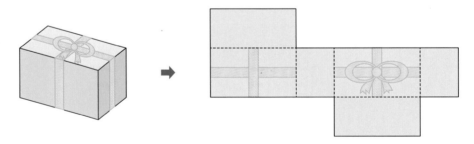

Tip

선물 상자의 윗면과 아랫면에는 끈이 가로와 세로로 2번씩 지나가고, 나머지 ❶⬚ 개의 옆면에는 끈이 1번씩 지나갑니다.

선물 상자를 오른쪽 전개도와 같이 펼쳤을 때의 모양을 생각하며 비어 있는 ❷⬚ 개의 면에 끈이 지나가는 자리를 그립니다.

[답] ❶ 4   **❷** 4

코딩

7 다음은 어떤 정육면체의 한 면의 모양을 그리기 위한 코드입니다. 코드의 내용을 보고 이 정육면체의 겨냥도를 그리시오.

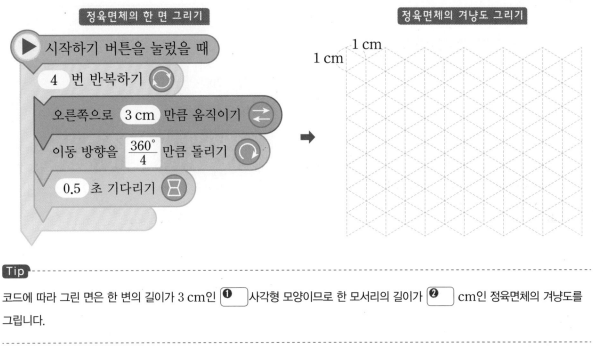

Tip ----

코드에 따라 그린 면은 한 변의 길이가 3 cm인 **❶** 사각형 모양이므로 한 모서리의 길이가 **❷** cm인 정육면체의 겨냥도를 그립니다.

[답] **❶** 정 **❷** 3

코딩

8 한쪽 면에 ●가 그려진 정육면체가 있습니다. 보기 와 같이 정육면체를 순서대로 화살표 방향으로 한 면씩 돌렸을 때, ●가 그려진 면을 찾아 색칠하시오.

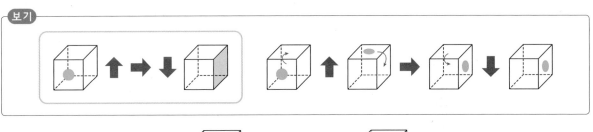

Tip ----

정육면체를 ⬇(앞쪽)으로 한 번 돌린 다음 **❶** (왼쪽)으로 두 번 돌렸을 때 **❷** 가 그려진 면이 어디로 이동하는지 알아보고 색칠합니다.

[답] **❶** ⬅ **❷** ●

수의 범위와 어림하기, 평균과 가능성

이름	넣은 화살 수(개)
승규	5
희재	6
승재	4
민수	5

이름	넣은 화살 수(개)
슬기	6
지수	3
상민	0
상철	7
호현	4

3
주

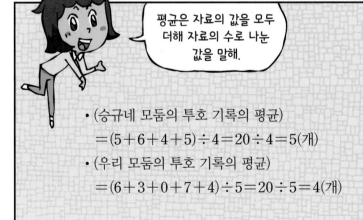

- (승규네 모둠의 투호 기록의 평균)
  $=(5+6+4+5)\div4=20\div4=5$(개)
- (우리 모둠의 투호 기록의 평균)
  $=(6+3+0+7+4)\div5=20\div5=4$(개)

개념 1 이상, 이하, 초과, 미만

[관련 단원] 수의 범위와 어림하기

● **이상 알아보기**

35, 36, 37.5 등과 같이 35와 같거나 큰 수를 35 **이상**인 수라고 합니다.

```
  ┼┼┼┼┼┼┼┼┼┼┼┼┼┼┼┼┼┼┼┼┼┼┼┼┼┼┼┼┼┼┼
  33      34      35      36      37      38      39
```
└ 기준이 되는 수를 ●을 이용하여 나타내고
오른쪽으로 선을 긋습니다.

● **이하 알아보기**

9, 8, 7.6, 6.4 등과 같이 9와 같거나 작은 수를 9 **이하**인 수라고 합니다.

```
  ┼┼┼┼┼┼┼┼┼┼┼┼┼┼┼┼┼┼┼┼┼┼┼┼┼┼┼┼┼┼┼
  5       6       7       8       9       10      11
```
└ 기준이 되는 수를 ●을 이용하여 나타내고
왼쪽으로 선을 긋습니다.

● **초과 알아보기**

16.1, 17, 18.5 등과 같이 16보다 큰 수를 16 **초과**인 수라고 합니다.

```
  ┼┼┼┼┼┼┼┼┼┼┼┼┼┼┼┼┼┼┼┼┼┼┼┼┼┼┼┼┼┼┼
  13      14      15      16      17      18      19
```
└ 기준이 되는 수를 ○을 이용하여 나타내고
오른쪽으로 선을 긋습니다.

● **미만 알아보기**

49.9, 49, 48.5 등과 같이 50보다 작은 수를 50 **미만**인 수라고 합니다.

```
  ┼┼┼┼┼┼┼┼┼┼┼┼┼┼┼┼┼┼┼┼┼┼┼┼┼┼┼┼┼┼┼
  45      46      47      48      49      50      51
```
기준이 되는 수를 ○을 이용하여 나타내고 ┘
왼쪽으로 선을 긋습니다.

• 이상과 이하
  ■와 같거나 큰 수
  ➡ ■ [❶]인 수
  ■와 같거나 작은 수
  ➡ ■ 이하인 수

• 이상인 수와 이하인 수에는 경곗값이 포함됩니다.

• 초과인 수와 [❷]인 수에는 경곗값이 포함되지 않습니다.

답 ❶ 이상 ❷ 미만

개념 2 올림, 버림, 반올림

[관련 단원] 수의 범위와 어림하기

● **올림 알아보기**

올림: 구하려는 자리의 아래 수를 올려서 나타내는 방법

예 509를 올림하여 백의 자리까지 나타내기: 509 ──(백의 자리 아래 수인 09를 100으로 봅니다.)──> 600

● **버림 알아보기**

버림: 구하려는 자리의 아래 수를 버려서 나타내는 방법

예 413을 버림하여 십의 자리까지 나타내기: 413 ──(십의 자리 아래 수인 3을 0으로 봅니다.)──> 410

● **반올림 알아보기**

반올림: 구하려는 자리 바로 아래 자리의 숫자가 0, 1, 2, 3, 4이면 버리고, 5, 6, 7, 8, 9이면 올려서 나타내는 방법

예 1.47을 반올림하여 일의 자리까지 나타내기: 1.47 ──(소수 첫째 자리 숫자가 4이므로 버립니다.)──> 1

• 128을 올림하여 십의 자리까지 나타내면 128 ➡ [❶]입니다.

• 701을 버림하여 백의 자리까지 나타내면 701 ➡ [❷]입니다.

• 366을 반올림하여 십의 자리까지 나타내면 366 ➡ [❸]입니다.

답 ❶ 130 ❷ 700 ❸ 370

1-1 20 이상인 수에 모두 ○표 하시오.

■ 이상인 수는
■와 같거나 큰 수예요.

| 16 | 17 | 18 | 19 | 20 |
| 21 | 22 | 23 | 24 | 25 |

1-2 34 이상인 수에 모두 ○표 하시오.

| 27 | 28 | 29 | 30 | 31 |
| 32 | 33 | 34 | 35 | 36 |

• **풀이** • 20 이상인 수는 20과 같거나 ❶[   ] 수이므로 ❷[   ]과 20보다 큰 수에 모두 ○표 합니다.

답 ❶ 큰 ❷ 20

2-1 주어진 수의 범위를 수직선에 나타내시오.

40 미만인 수

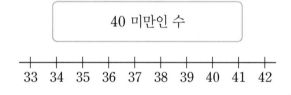

33 34 35 36 37 38 39 40 41 42

• **풀이** • 40 미만인 수는 40보다 ❶[   ] 수이고 40이 포함되지 않으므로 40에 ❷[   ]로 표시하고 ❸[   ]쪽으로 선을 긋습니다.

답 ❶ 작은 ❷ ○ ❸ 왼

2-2 주어진 수의 범위를 수직선에 나타내시오.

19 미만인 수

16 17 18 19 20 21 22 23 24 25

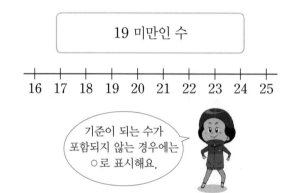

기준이 되는 수가
포함되지 않는 경우에는
○로 표시해요.

3-1 1896을 버림하여 백의 자리까지 나타내려고 합니다. ◯ 안에 알맞은 수를 써넣으시오.

1896을 버림하여 백의 자리까지 나타내기 위하여 백의 자리 아래 수인 96을 [   ]으로 보고 버림하면 [   ]입니다.

3-2 2307을 버림하여 백의 자리까지 나타내려고 합니다. ◯ 안에 알맞은 수를 써넣으시오.

2307을 버림하여 백의 자리까지 나타내기 위하여 백의 자리 아래 수인 07을 [   ]으로 보고 버림하면 [   ]입니다.

• **풀이** • 버림하여 백의 자리까지 나타내려면 ❶[   ]의 자리의 아래 수를 버려야 하므로 1896에서 ❷[   ]을 ❸[   ]으로 보고 버림합니다.

답 ❶ 백 ❷ 96 ❸ 0

개념 3 평균

[관련 단원] 평균과 가능성

○ 평균 알아보기

평균: 자료의 값을 모두 더해 자료의 수로 나눈 값

$$(평균)=(자료의 \ 값을 \ 모두 \ 더한 \ 수)÷(자료의 \ 수)$$
$$=\frac{(자료의 \ 값을 \ 모두 \ 더한 \ 수)}{(자료의 \ 수)}$$

○ 평균 구하기

방법1 각 자료의 값이 고르게 되도록 자료의 값을 옮겨 구합니다.

방법2 자료의 값을 모두 더해 자료의 수로 나누어 구합니다.

• 각 자료의 값을 모두 더해 자료의 수로 나눈 값을 **❶** 이라고 합니다.

• 한 학급의 학생 수 26, 28, 25, 29를 고르게 하면 27, 27, 27, 27이므로 평균은 **❷** 입니다.

답 ❶ 평균 ❷ 27

개념 4 일이 일어날 가능성

[관련 단원] 평균과 가능성

○ 일이 일어날 가능성을 말로 표현하기

가능성: 어떠한 상황에서 특정한 일이 일어나길 기대할 수 있는 정도
가능성의 정도는 불가능하다, ～아닐 것 같다, 반반이다,
～일 것 같다, 확실하다 등으로 표현할 수 있습니다.

○ 일이 일어날 가능성을 비교하기

←── 일이 일어날 가능성이 낮습니다.　　　　일이 일어날 가능성이 높습니다. ──→

～아닐 것 같다	～일 것 같다

불가능하다　　　　　반반이다　　　　　확실하다

○ 일이 일어날 가능성을 수로 표현하기

일이 일어날 가능성은 $0, \frac{1}{2}, 1$과 같은 수로 표현할 수 있습니다.

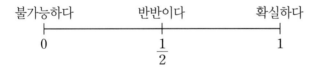

불가능하다　　　반반이다　　　확실하다
0　　　$\frac{1}{2}$　　　1

• 일이 일어날 가능성이 '불가능하다'인 경우를 수로 표현하면 '0'입니다.

• 일이 일어날 가능성이 '반반이다'인 경우를 수로 표현하면 '$\frac{1}{2}$'입니다.

• 일이 일어날 가능성이 '확실하다'인 경우를 수로 표현하면 '1'입니다.

• 어떠한 상황에서 특정한 일이 일어나길 기대할 수 있는 정도를 **❶** 이라고 합니다.

• 일이 일어날 가능성이 가장 높은 것은 **❷** 로 나타낼 수 있습니다.

• 일어날 가능성이 '불가능하다'인 경우 가능성을 0부터 1까지의 수 중에서 **❸** 으로 표현할 수 있습니다.

답 ❶ 가능성 ❷ 확실하다 ❸ 0

4-1 태인이네 학교 5학년 반별 학생 수를 나타낸 표입니다. 반별 학생 수의 평균을 구하시오.

반별 학생 수

반	1	2	3	4
학생 수(명)	26	23	27	24

$$(평균)=\dfrac{\boxed{}}{\boxed{}}=\boxed{}(명)$$

4-2 재현이네 학교 5학년 반별 학생 수를 나타낸 표입니다. 반별 학생 수의 평균을 구하시오.

반별 학생 수

반	1	2	3	4
학생 수(명)	25	26	23	22

$$(평균)=\dfrac{\boxed{}}{\boxed{}}=\boxed{}(명)$$

• **풀이** • (반별 학생 수의 평균)=$\dfrac{(\boxed{❶} \text{ 수의 합})}{(\text{반의 수})}$ 이고 반의 수는 $\boxed{❷}$,

학생 수의 합은 $\boxed{❷}$ 입니다. **답** ❶ 학생 ❷ 4 ❸ 100

5-1 일이 일어날 가능성을 보기 에서 찾아 기호를 쓰시오.

보기
- ㉠ 불가능하다　　 ㉡ ~아닐 것 같다
- ㉢ 반반이다 ㉣ ~일 것 같다 ㉤ 확실하다

내일은 해가 서쪽에서 뜰 것입니다. ➡ $\boxed{}$

5-2 일이 일어날 가능성을 보기 에서 찾아 기호를 쓰시오.

보기
- ㉠ 불가능하다　　 ㉡ ~아닐 것 같다
- ㉢ 반반이다 ㉣ ~일 것 같다 ㉤ 확실하다

주사위를 던졌을 때 6의 눈이 나올 것입니다.

➡ $\boxed{}$

• **풀이** • 해는 항상 $\boxed{❶}$ 쪽에서 뜨므로 해가 서쪽에서 뜰 가능성은

'$\boxed{❷}$'입니다. **답** ❶ 동 ❷ 불가능하다

6-1 일이 일어날 가능성을 수로 나타내시오.

 100원짜리 동전을 던졌을 때 그림 면이 나올 가능성을 수로 표현하면 $\boxed{}$ 입니다.

6-2 일이 일어날 가능성을 수로 나타내시오.

 왼쪽의 주머니에서 꺼낸 바둑돌이 검은색일 가능성을 수로 표현하면 $\boxed{}$ 입니다.

• **풀이** • 동전에는 숫자 면과 $\boxed{❶}$ 면이 한 면씩 있으므로 그림 면이

나올 가능성은 '$\boxed{❷}$ 이다'입니다. **답** ❶ 그림 ❷ 반반

예제 1 이상과 이하 알아보기

6과 같거나 큰 수는 6 이상인 수이고, 5와 같거나 작은 수는 5 이하인 수입니다.

■와 같거나 큰 수 ➡ ■ **❶** [　　] 인 수

▲와 같거나 작은 수 ➡ ▲ **❷** [　　] 인 수

[답] ❶ 이상 ❷ 이하

1 20 이상인 수에 ○표, 15 이하인 수에 △표 하시오.

21	14	17	28	20
15	19	10	11	26

예제 2 초과와 미만 알아보기

10보다 큰 수는 10 초과인 수이고, 7보다 작은 수는 7 미만인 수입니다.

●보다 큰 수 ➡ ● **❶** [　　] 인 수

◆보다 작은 수 ➡ ◆ **❷** [　　] 인 수

[답] ❶ 초과 ❷ 미만

2 43 초과인 수는 모두 몇 개입니까?

46.1	42.9	41.0	50.8
45.7	43.0	54.2	39.4

(　　　　　　　　　　)

예제 3 올림 알아보기

2341을 올림하여 천의 자리까지 나타내면 천의 자리 아래 수인 341을 1000으로 보고 3000으로 나타낼 수 있습니다.

$$\underline{2341} \Rightarrow 3000$$

천의 자리 아래 수인 341을
1000으로 봅니다.

구하려는 자리의 **❶** [　　] 수를 올려서 나타내는

방법을 **❷** [　　] 이라고 합니다.

[답] ❶ 아래 ❷ 올림

3 수를 올림하여 주어진 자리까지 나타내시오.

수	십의 자리	백의 자리
716		

십의 자리, 백의 자리
아래 수를 각각 올려서
나타내요.

예제 4 반올림 알아보기

1.74를 반올림하여 일의 자리까지 나타내면 소수 첫째 자리 숫자가 7이므로 올림하여 2로 나타낼 수 있습니다.

$$1.74 \implies 2$$
7이므로 올림합니다.

구하려는 자리 바로 아래 자리의 숫자가 0, 1, 2, 3, 4이면 ❶ □ 고, 5, 6, 7, 8, 9이면 올려서 나타내는 방법을 ❷ □ 이라고 합니다.

[답] ❶ 버리 ❷ 반올림

4 수를 반올림하여 백의 자리까지 나타내시오.

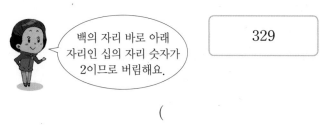

백의 자리 바로 아래 자리인 십의 자리 숫자가 2이므로 버림해요.

| 329 |

(   )

예제 5 평균 알아보기

재희네 모둠 학생들의 몸무게

이름	재희	승현	윤수
몸무게(kg)	40	42	38

(재희네 모둠의 몸무게 평균)
$$= \frac{40+42+38}{3} = 40 \text{ (kg)}$$

(평균) = $\dfrac{(\text{자료의 값을 모두 } ❶ \boxed{} \text{ 수})}{(\text{자료의 } ❷ \boxed{})}$

[답] ❶ 더한 ❷ 수

5 하늘이네 모둠 학생들이 가지고 있는 연필 수를 나타낸 표입니다. 하늘이네 모둠 학생들이 가지고 있는 연필 수의 평균을 구하시오.

가지고 있는 연필 수

이름	하늘	태균	재현	민호	창민
연필 수(자루)	12	9	10	11	18

(   )

예제 6 일이 일어날 가능성을 말로 표현하기

가능성의 정도는 불가능하다, ~아닐 것 같다, 반반이다, ~일 것 같다, 확실하다 등으로 표현할 수 있습니다.

어떠한 상황에서 특정한 일이 일어나길 ❶ □ 할 수 있는 정도를 ❷ □ 이라고 합니다.

[답] ❶ 기대 ❷ 가능성

6 일이 일어날 가능성이 확실한 것에 ○표 하시오.

주사위를 굴렸을 때 나온 눈의 수가 7일 가능성	내일 아침에 해가 동쪽에서 뜰 가능성
( )	( )

전략 1 수직선에 나타낸 수의 범위 알아보기

[관련 단원] 수의 범위와 어림하기

예 수직선에 나타낸 수의 범위 알아보기

```
  +----+----+----●----+----+----+----+----+----○----+----+
 13   14   15   16   17   18   19   20   21   22   23
```

(1) 수의 범위에 15가 포함되는지 알아보기: 15에 ●로 표시했으므로 15는 포함되고 오른쪽으로 선을 그었습니다. ➡ 15 [❶   ]인 수

(2) 수의 범위에 21이 포함되는지 알아보기: 21에 ○로 표시했으므로 21은 포함되지 않고 왼쪽으로 선을 그었습니다. ➡ 21 [❷   ]인 수

(3) 수의 범위 알아보기: 15 [❸   ] 21 [❹   ]인 수

답 ❶ 이상 ❷ 미만 ❸ 이상 ❹ 미만

필수 예제 01

수직선에 나타낸 수의 범위를 쓰려고 합니다. ☐ 안에 알맞은 말을 써넣으시오.

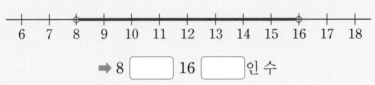

➡ 8 [   ] 16 [   ]인 수

풀이 | 8에 ○로 표시했으므로 8은 포함되지 않고 오른쪽으로 선을 그었습니다. ➡ 8 초과인 수
16에 ○로 표시했으므로 16은 포함되지 않고 왼쪽으로 선을 그었습니다. ➡ 16 미만인 수
따라서 8 초과 16 미만인 수입니다.

확인 1-1

수직선에 나타낸 수의 범위를 쓰려고 합니다. ☐ 안에 알맞은 말을 써넣으시오.

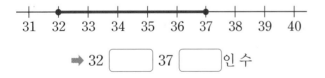

➡ 32 [   ] 37 [   ]인 수

확인 1-2

수직선에 나타낸 수의 범위를 쓰려고 합니다. ☐ 안에 알맞은 말을 써넣으시오.

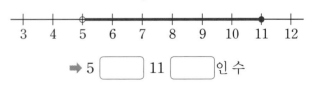

➡ 5 [   ] 11 [   ]인 수

전략 2 범위에 포함되는 자연수의 개수 구하기   [관련 단원] 수의 범위와 어림하기

예 범위에 포함되는 수의 개수 구하기

> 16 초과 20 이하인 자연수

(1) 16 초과인 자연수 찾기: 16 초과인 자연수는 16보다 [❶   ] 자연수이므로 17, 18, 19, 20, 21……입니다.

(2) 20 이하인 자연수 찾기: 20 이하인 자연수는 20과 같거나 [❷   ] 자연수이므로 20, 19, 18, 17, 16 ……입니다.

(3) 16 초과 20 이하인 자연수의 개수 구하기

    (1), (2)에 공통으로 들어 있는 수를 찾으면 17, 18, 19, 20이므로 [❸   ]개입니다.

답 ❶ 큰 ❷ 작은 ❸ 4

필수예제 02

범위에 포함되는 수의 개수를 구하시오.

> 8 이상 13 미만인 자연수

(   )

8 이상인 자연수와 13 미만인 자연수를 각각 먼저 알아보아요.

풀이 | 8 이상인 자연수는 8과 같거나 큰 자연수이므로 8, 9, 10, 11, 12, 13, 14……입니다.

13 미만인 자연수는 13보다 작은 자연수이므로 12, 11, 10, 9, 8, 7……입니다.

➡ 공통으로 들어 있는 수를 찾으면 8, 9, 10, 11, 12이므로 5개입니다.

확인 2-1

범위에 포함되는 수의 개수를 구하시오.

> 20 이상 24 이하인 자연수

(   )

확인 2-2

범위에 포함되는 수의 개수를 구하시오.

> 22 초과 30 미만인 자연수

(   )

전략 3 어떤 수를 포함하는 수의 범위 찾기

[관련 단원] 수의 범위와 어림하기

예 50을 포함하는 수의 범위 찾기

㉠ 41 이상 50 이하인 수
㉡ 50 초과 55 미만인 수

이상, 이하는 경곗값이 포함되고, 초과, 미만은 경곗값이 포함되지 않아요.

(1) 41 이상 50 이하인 수의 범위 알아보기: 41과 같거나 크고 50과 ❶ [   ] 작은 수의 범위입니다.

(2) 50 초과 55 미만인 수의 범위 알아보기: 50보다 ❷ [   ]고 55보다 작은 수의 범위입니다.

(3) 50을 포함하는 수의 범위 찾기: 50을 포함하는 수의 범위는 ❸ [   ]입니다.

답 ❶ 같거나 ❷ 크 ❸ ㉠

필수 예제 03

20을 포함하는 수의 범위를 찾아 기호를 쓰시오.

㉠ 20 이상 30 미만인 수
㉡ 20 초과 30 이하인 수

(   )

풀이 | ㉠ 20과 같거나 크고 30보다 작은 수의 범위입니다.
　　㉡ 20보다 크고 30과 같거나 작은 수의 범위입니다.
➡ 20을 포함하는 수의 범위는 ㉠입니다.

확인 3-1

17을 포함하는 수의 범위를 찾아 기호를 쓰시오.

㉠ 10 초과 17 미만인 수
㉡ 17 이상 20 이하인 수

(   )

확인 3-2

9를 포함하는 수의 범위를 찾아 기호를 쓰시오.

㉠ 10 이상 19 미만인 수
㉡ 9 초과 19 이하인 수
㉢ 8 초과 10 미만인 수

(   )

▶정답 및 풀이 20쪽

전략 **4** 평균 비교하기 [관련 단원] 평균과 가능성

예 세민이와 재희의 국어, 수학, 영어 점수의 평균 비교하기

세민이의 성적

과목	국어	수학	영어
점수(점)	80	90	82

재희의 성적

과목	국어	수학	영어
점수(점)	100	70	88

(1) 세민이의 국어, 수학, 영어 점수의 평균 구하기: $\dfrac{80+90+82}{3}=$ ❶ ⬜ (점)

(2) 재희의 국어, 수학, 영어 점수의 평균 구하기: $\dfrac{100+70+88}{3}=$ ❷ ⬜ (점)

(3) 평균 비교하기: 국어, 수학, 영어 점수의 평균이 더 높은 사람은 ❸ ⬜ 입니다.

답 ❶ 84 ❷ 86 ❸ 재희

필수 예제 **04**

학생 수의 평균이 더 많은 학년은 몇 학년인지 구하시오.

4학년

반	1반	2반	3반	4반
학생 수(명)	24	23	20	25

5학년

반	1반	2반	3반	4반
학생 수(명)	25	23	25	23

( )

풀이 | 4학년 학생 수의 평균: $\dfrac{24+23+20+25}{4}=23$(명)   5학년 학생 수의 평균: $\dfrac{25+23+25+23}{4}=24$(명)

따라서 학생 수의 평균이 더 많은 학년은 5학년입니다.

확인 **4**-1

수학 점수의 평균이 더 높은 모둠은 어느 모둠인지 구하시오.

이한이네 모둠의 수학 점수

이름	이한	하늘	지유
점수(점)	80	70	90

서연이네 모둠의 수학 점수

이름	서연	현준	아린
점수(점)	72	86	70

( )

확인 **4**-2

제자리멀리뛰기 기록의 평균이 더 짧은 사람은 누구인지 구하시오.

상수의 제자리멀리뛰기 기록

회	1회	2회	3회
기록(cm)	140	126	160

수빈이의 제자리멀리뛰기 기록

회	1회	2회	3회
기록(cm)	133	150	140

( )

[관련 단원] 수의 범위와 어림하기

1 수의 범위를 수직선에 나타내시오.

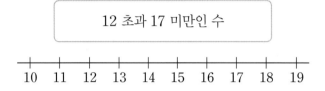

12 초과 17 미만인 수

| 10 | 11 | 12 | 13 | 14 | 15 | 16 | 17 | 18 | 19 |

[관련 단원] 수의 범위와 어림하기

2 우리나라에서 투표할 수 있는 나이는 만^❶ 18세 이상입니다. 우리 가족 중에서 투표할 수 있는 사람을 모두 쓰시오.

우리 가족의 만 나이

가족	나	할머니	어머니	누나	형
만 나이(세)	❷11	69	46	16	18

(   )

[관련 단원] 수의 범위와 어림하기

3 오늘 하루 야구장에 입장한 관람객 수는 12244명입니다. 관람객 수를 올림, 버림, 반올림하여 천의 자리까지 나타내시오.

관람객 수(명)	올림	버림	반올림
12244			

[관련 단원] **평균과 가능성**

4 우희네 모둠과 재성이네 모둠의 단체 줄넘기 기록입니다. 어느 모둠의 단체 줄넘기 평균이 몇 번 더 많은지 구하시오.

우희네 모둠

13번 17번 12번

재성이네 모둠

18번 11번 10번

(   ), (   )

Tip

$(평균)=\dfrac{(자료의\ 값을\ 모두\ ❶\quad\ 수)}{(자료의\ ❷\quad)}$

답 ❶ 더한 ❷ 수

줄넘기 횟수를 모두 더해 3으로 나누면 평균을 구할 수 있어요.

[관련 단원] **평균과 가능성**

5 승현이네 모둠의 턱걸이 기록의 평균은 13회입니다. 윤아가 한 턱걸이는 몇 회인지 구하시오.

승현이네 모둠의 턱걸이 기록

이름	승현	미주	재혁	윤아
횟수(회)	12	11	15	

(   )

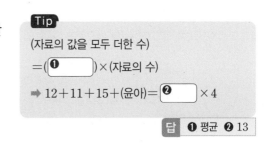

Tip

(자료의 값을 모두 더한 수)

$=(❶\quad)×(자료의\ 수)$

➡ 12+11+15+(윤아)=❷ ×4

답 ❶ 평균 ❷ 13

[관련 단원] **평균과 가능성**

6 화살이 빨간색에 멈출 가능성을 찾아 기호를 쓰시오.

㉠ 불가능하다   ㉡ ~아닐 것 같다   ㉢ 반반이다
㉣ ~일 것 같다   ㉤ 확실하다

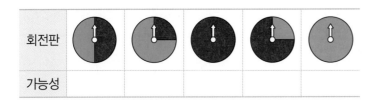

회전판					
가능성					

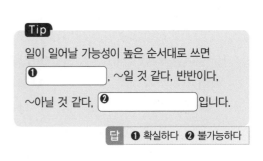

Tip

일이 일어날 가능성이 높은 순서대로 쓰면
❶ , ~일 것 같다, 반반이다,
~아닐 것 같다. ❷ 입니다.

답 ❶ 확실하다 ❷ 불가능하다

전략 1   어림한 수의 크기 비교하기   [관련 단원] 수의 범위와 어림하기

예 어림한 후, 어림한 수의 크기 비교하기

| 4162를 올림하여
십의 자리까지 나타낸 수 | ❸ ◯ | 4012를 올림하여
백의 자리까지 나타낸 수 |

(1) 수를 어림하기: 4162를 올림하여 십의 자리까지 나타내면 4162 ➡ [❶　　　　]이고, 4012를 올림하여

　백의 자리까지 나타내면 4012 ➡ [❷　　　　]입니다.

(2) 어림한 수의 크기를 비교하여 ◯ 안에 >, =, < 쓰기

답 ❶ 4170 ❷ 4100 ❸ >

필수 예제 01

어림한 후, 어림한 수의 크기를 비교하여 ◯ 안에 >, =, <를 알맞게 써넣으시오.

| 508을 버림하여
십의 자리까지 나타낸 수
➡ [　　　] | ◯ | 527을 버림하여
백의 자리까지 나타낸 수
➡ [　　　] |

풀이 | 508을 버림하여 십의 자리까지 나타내면 508 → 500이고, 527을 버림하여 백의 자리까지 나타내면 527 → 500입니다.
어림한 수의 크기를 비교하면 500 ⊜ 500입니다.

확인 1-1

어림한 후, 어림한 수의 크기를 비교하여 ◯ 안에 >, =, <를 알맞게 써넣으시오.

| 191을 올림하여
백의 자리까지
나타낸 수
➡ [　　] | ◯ | 207을 버림하여
백의 자리까지
나타낸 수
➡ [　　] |

확인 1-2

어림한 후, 어림한 수의 크기를 비교하여 ◯ 안에 >, =, <를 알맞게 써넣으시오.

| 6114를 버림하여
백의 자리까지
나타낸 수
➡ [　　] | ◯ | 6114를 올림하여
십의 자리까지
나타낸 수
➡ [　　] |

전략 2 반올림한 금액 구하기 [관련 단원] 수의 범위와 어림하기

예 두 사람이 가지고 있는 돈의 합을 반올림하여 천의 자리까지 나타내기

나는 5870원을 가지고 있어.

난 8160원!

(1) 두 사람이 가지고 있는 돈의 합 구하기

$5870 + 8160 =$ ❶[　　　　](원)

(2) 반올림하여 천의 자리까지 나타내기

14030원을 반올림하여 천의 자리까지 나타내면 백의 자리 숫자가 ❷[　　]이므로 버림하여

❸[　　　　　]원으로 나타낼 수 있습니다.

답 ❶ 14030 ❷ 0 ❸ 14000

필수 예제 02

두 사람이 가지고 있는 돈의 합을 반올림하여 천의 자리까지 나타내면 얼마인지 구하시오.

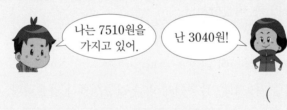

나는 7510원을 가지고 있어.

난 3040원!

(　　　　　　　　　　　)

풀이 | 두 사람이 가지고 있는 돈의 합은 $7510 + 3040 = 10550$(원)입니다.

10550원을 반올림하여 천의 자리까지 나타내면 백의 자리 숫자가 5이므로 올림하여 11000원으로 나타낼 수 있습니다.

확인 2-1

두 사람이 가지고 있는 돈의 합을 반올림하여 백의 자리까지 나타내면 얼마인지 구하시오.

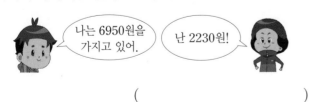

나는 6950원을 가지고 있어.

난 2230원!

(　　　　　　　　　　　)

확인 2-2

두 사람이 가지고 있는 돈의 합을 반올림하여 백의 자리까지 나타내면 얼마인지 구하시오.

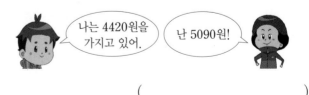

나는 4420원을 가지고 있어.

난 5090원!

(　　　　　　　　　　　)

전략 3 일이 일어날 가능성에 따라 회전판 색칠하기 [관련 단원] 평균과 가능성

예 조건 에 알맞은 회전판이 되도록 색칠하기

조건
- 화살이 분홍색에 멈출 가능성이 가장 높습니다.
- 화살이 노란색에 멈출 가능성은 하늘색에 멈출 가능성보다 낮습니다.

(1) 분홍색을 색칠해야 할 부분 찾기: 화살이 분홍색에 멈출 가능성이 가장 높으므로 가장 ❶[   ] 부분인 ❷[   ]에 색칠합니다.

(2) 노란색과 하늘색을 색칠해야 할 부분 찾기: 화살이 노란색에 멈출 가능성이 하늘색에 멈출 가능성보다 낮으므로 남은 두 부분 중에서 더 좁은 부분인 ❸[   ]에 노란색을 색칠하고, 하늘색을 ❹[   ]에 색칠합니다.

답 ❶ 넓은 ❷ ㉢ ❸ ㉡ ❹ ㉠

필수예제 03

조건 에 알맞은 회전판이 되도록 색칠하시오.

조건
- 화살이 노란색에 멈출 가능성이 가장 낮습니다.
- 화살이 하늘색에 멈출 가능성은 분홍색에 멈출 가능성보다 높습니다.

풀이 | 화살이 노란색에 멈출 가능성이 가장 낮으므로 가장 좁은 부분에 노란색을 색칠합니다.
화살이 하늘색에 멈출 가능성이 분홍색에 멈출 가능성보다 높으므로 남은 두 부분 중에서 더 넓은 부분에 하늘색을 색칠하고, 다른 부분에 분홍색을 색칠합니다.

확인 3-1

조건 에 알맞은 회전판이 되도록 색칠하시오.

조건
- 화살이 하늘색에 멈출 가능성이 가장 높습니다.
- 화살이 노란색과 분홍색에 멈출 가능성이 같습니다.

확인 3-2

조건 에 알맞은 회전판이 되도록 색칠하시오.

조건
- 화살이 분홍색에 멈출 가능성이 가장 낮습니다.
- 화살이 하늘색에 멈출 가능성은 노란색에 멈출 가능성의 2배입니다.

전략 4 수 카드를 뽑을 가능성을 수로 표현하기   [관련 단원] 평균과 가능성

예 수 카드 중에서 한 장을 뽑았을 때 홀수일 가능성을 수로 표현하기

(1) 홀수 찾기: 수 카드 4장에 쓰여 있는 수는 홀수 **❶**[　]개, 짝수 **❷**[　]개입니다.

(2) 한 장을 뽑았을 때 홀수일 가능성 알아보기: 수 카드 4장 중에서 한 장을 뽑았을 때, 뽑은 카드에 쓰여 있는 수가 홀수일 가능성은 '**❸**[　　]이다'입니다.

(3) 가능성을 수로 표현하기: '반반이다'를 수로 표현하면 **❹**[　]입니다.

답 ❶ 2 ❷ 2 ❸ 반반 ❹ $\frac{1}{2}$

필수 예제 04

다음 수 카드 중에서 한 장을 뽑았을 때, 뽑은 카드에 쓰여 있는 수가 홀수일 가능성을 수로 표현하시오.

(　　　　　　　)

풀이 | 수 카드 4장에 쓰여 있는 수는 홀수 4개, 짝수 0개입니다.
수 카드 4장 중에서 한 장을 뽑았을 때, 뽑은 카드에 쓰여 있는 수가 홀수일 가능성은 '확실하다'이며 수로 표현하면 1입니다.

확인 4-1

다음 수 카드 중에서 한 장을 뽑았을 때, 뽑은 카드에 쓰여 있는 수가 홀수일 가능성을 수로 표현하시오.

(　　　　　　　)

확인 4-2

다음 수 카드 중에서 한 장을 뽑았을 때, 뽑은 카드에 쓰여 있는 수가 짝수일 가능성을 수로 표현하시오.

(　　　　　　　)

3_주 03_일 필수 체크 전략 ②

[관련 단원] 수의 범위와 어림하기

1 남자 태권도 체급별 몸무게를 나타낸 표입니다. 승규의 몸무게가 36 kg일 때 승규가 속한 체급을 쓰시오.

체급별 몸무게(초등학교 남학생용)

체급	핀급	플라이급	밴텀급	페더급	라이트급
몸무게 (kg)	32 이하	32 초과 34 이하	34 초과 36 이하	36 초과 39 이하	39 초과 42 이하

( )

Tip

36 이하인 수: 36과 같거나 ❶⬚ 수

36 초과인 수: 36보다 ❷⬚ 수

답 ❶ 작은 ❷ 큰

36 이하인 수에는 36이 포함돼요.

[관련 단원] 수의 범위와 어림하기

2 저금통에 모은 동전을 세어 보았더니 51400원입니다. 이 돈을 1000원짜리 지폐로 바꾼다면 최대 얼마까지 바꿀 수 있습니까?

( )

Tip

1000원이 되어야 지폐로 바꿀 수 있으므로 어림하는 방법 중 ❶⬚을 사용하여 51400을 ❷⬚의 자리까지 나타내어야 합니다.

답 ❶ 버림 ❷ 천

[관련 단원] 수의 범위와 어림하기

3 반올림하여 천의 자리까지 나타내었을 때 4000이 되는 수가 아닌 것을 찾아 쓰시오.

| 3504 | 3710 | 4926 | 4188 |

( )

Tip

반올림하여 천의 자리까지 나타내려면 ❶⬚의 자리 숫자가 0, 1, 2, 3, 4이면 ❷⬚리고, 5, 6, 7, 8, 9이면 ❸⬚립니다.

답 ❶ 백 ❷ 버 ❸ 올

▶정답 및 풀이 22쪽

[관련 단원] **평균과 가능성**

4 대우가 월요일부터 토요일까지 독서한 시간을 나타낸 표입니다. **❶** 일요일에 독서를 30분 했다면 일주일 동안 독서 시간의 평균은 몇 분인지 구하시오.

대우가 독서한 시간

요일	월	화	수	목	금	토
시간(분)	30	25	36	40	20	29

(   )

Tip

❶ (일주일 동안 독서 시간의 합)
$$=30+25+36+40+20+29+\boxed{❶}$$
(요일의 수)$=6+\boxed{❷}$

❷ (독서 시간의 평균)$=\dfrac{\text{(독서 시간의 합)}}{\text{(요일의 수)}}$

답 **❶** 30 **❷** 1

일주일은
7일이에요.

[관련 단원] **평균과 가능성**

5 일이 일어날 가능성을 생각해 보고, 알맞게 표현한 것에 ○표 하시오.

일 가능성	불가능하다	반반이다	확실하다
오늘 저녁에 북쪽으로 해가 질 것입니다.			
100원짜리 동전을 던졌을 때 숫자 면이 나올 것입니다.			

Tip

해는 **❶** 쪽으로 집니다.
100원짜리 동전을 던졌을 때 그림 면과
❷ 면이 나올 수 있습니다.

답 **❶** 서 **❷** 숫자

3
주

[관련 단원] **평균과 가능성**

6 흰색 구슬 3개, 노란색 구슬 1개가 들어 있는 통에서 구슬 1개를 꺼낼 때, 꺼낸 구슬이 파란색일 가능성을 수로 표현하시오.

(   )

Tip

가능성을 수로 나타내면 확실하다 ➡ **❶** ,

반반이다 ➡ **❷** , 불가능하다 ➡ **❸** 입니다.

답 **❶** 1 **❷** $\dfrac{1}{2}$ **❸** 0

주 04일 교과서 대표 전략 ❶

대표 예제 01

48 이상인 수는 모두 몇 개입니까?

| 16 | 27 | 49 | 30 | 44 | 48 |

( )

■ 이상인 수는
■와 같거나
큰 수예요.

개념가이드

48 이상인 수는 ❶ [ ] 과 같거나 ❷ [ ] 수입니다.

[답] ❶ 48 ❷ 큰

대표 예제 02

수직선에 나타낸 수의 범위를 보고 ㉠+㉡의 값을 구하시오.

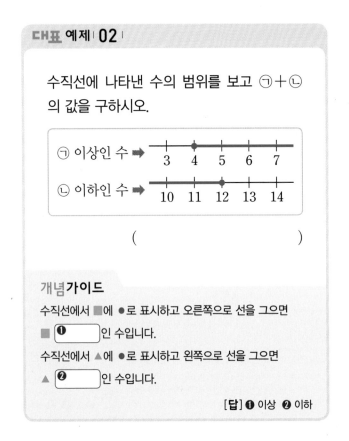

㉠ 이상인 수 ➡ 3 4 5 6 7

㉡ 이하인 수 ➡ 10 11 12 13 14

( )

개념가이드

수직선에서 ■에 ●로 표시하고 오른쪽으로 선을 그으면
■ ❶ [ ] 인 수입니다.
수직선에서 ▲에 ●로 표시하고 왼쪽으로 선을 그으면
▲ ❷ [ ] 인 수입니다.

[답] ❶ 이상 ❷ 이하

대표 예제 03

☐ 안에 이상, 이하, 초과, 미만 중에서 알맞은 말을 써넣으시오.

| 9, 10, 11, 12, 13, 14, 15 |

➡ 9 [ ] 16 [ ] 인 자연수

개념가이드

9는 포함되고 16은 포함되지 않습니다.
9와 같거나 ❶ [ ] 수이면서 16보다 ❷ [ ] 수입니다.

[답] ❶ 큰 ❷ 작은

대표 예제 04

두 수의 범위에 모두 포함되는 자연수는 몇 개입니까?

| ㉠ 28 초과 39 미만인 수
㉡ 34 초과 41 미만인 수 |

( )

개념가이드

■ 초과 ▲ 미만인 수는 ■보다 ❶ [ ] 고 ▲보다 ❷ [ ] 수입니다.

[답] ❶ 크 ❷ 작은

잘할 수 있어!

대표 예제 | 05 |

올림하여 천의 자리까지 나타낸 수가 다른 하나를 찾아 기호를 쓰시오.

> ㉠ 2001 ㉡ 2524 ㉢ 3000 ㉣ 3717

(   )

개념가이드

올림하여 천의 자리까지 나타내려면 ❶⬜의 자리 아래 수를 올립니다. 3000을 올림하여 천의 자리까지 나타내면 ❷⬜입니다.

[답] ❶ 천 ❷ 3000

대표 예제 | 06 |

50382를 반올림하여 주어진 자리까지 나타낸 수 중에서 가장 큰 것을 찾아 기호를 쓰시오.

> ㉠ 십의 자리   ㉡ 백의 자리
> ㉢ 천의 자리   ㉣ 만의 자리

(   )

개념가이드

반올림하여 ■의 자리까지 나타내려면 ■ 바로 ❶⬜ 자리의 숫자가 0, 1, 2, 3, 4이면 ❷⬜리고, 5, 6, 7, 8, 9이면 ❸⬜립니다.

[답] ❶ 아래 ❷ 버 ❸ 올

대표 예제 | 07 |

버림하여 십의 자리까지 나타내면 860이 되는 자연수를 모두 쓰시오.

(   )

개념가이드

십의 자리 아래 수를 버림하여 860이 되었으므로 버림하기 전의 수는 ❶⬜의 자리에 0부터 ❷⬜까지의 수가 들어갈 수 있습니다.

[답] ❶ 일 ❷ 9

대표 예제 | 08 |

다음 문제는 올림, 버림, 반올림 중에서 어느 방법으로 어림해야 하는지 쓰고 답을 구하시오.

> 사탕 887개를 한 상자에 100개씩 모두 담으려고 할 때 필요한 상자는 최소 몇 개 인지 구하시오.

(   ), (   )

개념가이드

사탕 887개 중에서 800개를 ❶⬜상자에 담고 남은 87개까지 담아야 하므로 ❷⬜으로 어림합니다.

[답] ❶ 8 ❷ 올림

대표 예제 09

준호네 모둠 학생들의 몸무게를 나타낸 표입니다. 몸무게의 평균은 몇 kg인지 구하시오.

학생들의 몸무게

이름	준호	세영	효림	강훈	주원
몸무게(kg)	43	36	37	34	40

( )

개념가이드

$$(몸무게의 평균) = \frac{(\boxed{❶ \quad}의 합)}{(학생 수)}$$

$$= \frac{43+36+37+34+40}{\boxed{❷}}$$

[답] ❶ 몸무게 ❷ 5

대표 예제 10

슬기네 반 모둠의 키를 비교하려고 합니다. 표를 보고 키의 평균이 더 큰 모둠을 구하시오.

	모둠 1	모둠 2
키의 합(cm)	740	588
학생 수(명)	5	4

( )

개념가이드

$$(모둠 1의 키의 평균) = \frac{740}{\boxed{❶}},$$

$$(모둠 2의 키의 평균) = \frac{588}{\boxed{❷}}$$

[답] ❶ 5 ❷ 4

대표 예제 11

정재네 모둠 학생들이 수학 시험에서 맞힌 문제 수를 나타낸 표입니다. 평균보다 적게 맞힌 사람은 재시험을 본다고 할 때 재시험을 봐야 하는 학생의 이름을 모두 쓰시오.

수학 시험에서 맞힌 문제 수

이름	정재	호연	상우	하준	유미	해수
문제 수(개)	14	10	11	13	12	12

( )

개념가이드

$$(평균) = \frac{(자료의 값을 모두 \boxed{❶ \quad} 수)}{(자료의 수)} = \frac{\boxed{❷}}{6}$$

[답] ❶ 더한 ❷ 72

대표 예제 12

민수가 매일 푼 수학 문제 수의 평균은 30개입니다. 2주일 동안 민수가 푼 수학 문제는 모두 몇 개입니까?

( )

개념가이드

$$(자료의 값을 모두 더한 수) = (\boxed{❶ \quad}) \times (자료의 수)$$

➡ (2주일 동안 민수가 푼 수학 문제 수) $= \boxed{❷} \times 14$

[답] ❶ 평균 ❷ 30

항상 널 응원해!

대표 예제 13

일이 일어날 가능성이 '~일 것 같다'인 경우를 말한 친구를 찾아 이름을 쓰시오.

> 유영: 오늘은 금요일이니까 내일은 토요일이야.
>
> 민지: 지금은 낮 12시니까 1시간 후에는 11시가 될 거야.
>
> 기준: 노란색 구슬이 6개, 흰색 구슬이 1개 있는 주머니에서 구슬 1개를 꺼냈을 때 노란색일 거야.

( )

개념가이드

'~일 것 같다'는 일이 일어날 가능성이 '확실하다'보다 **❶** 고 '반반이다'보다 **❷** 습니다.

[답] ❶ 낮 ❷ 높

대표 예제 14

일이 일어날 가능성을 찾아 이으시오.

| 내일 아침에 동쪽에서 해가 뜰 것입니다. | · | · | $\frac{1}{2}$ |

| ○×문제에서 ○라고 답했을 때 정답일 것입니다. | · | · | 1 |

개념가이드

일이 일어날 가능성이 확실하다는 1로, 반반이다는 **❶** 로, 불가능하다는 **❷** 으로 표현합니다.

[답] ❶ $\frac{1}{2}$ ❷ 0

대표 예제 15

회전판을 돌릴 때 화살이 파란색에 멈추는 것이 불가능한 회전판을 찾아 기호를 쓰시오.

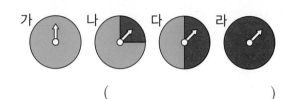

가   나   다   라

( )

개념가이드

전체가 빨간색 회전판인 경우 파란색인 부분이 **❶** 으므로 회전판을 돌려 화살이 파란색에 멈추는 것이 **❷** 합니다.

[답] ❶ 없 ❷ 불가능

대표 예제 16

1부터 6까지의 눈이 그려진 주사위를 한 번 굴릴 때 일이 일어날 가능성이 낮은 순서대로 기호를 쓰시오.

> ㉠ 눈의 수가 4보다 작은 수로 나올 가능성
> ㉡ 눈의 수가 10보다 큰 수로 나올 가능성
> ㉢ 눈의 수가 1부터 6까지의 수로 나올 가능성

( )

개념가이드

1, 2, 3은 주사위의 눈의 수 **❶** 개 중에서 3개입니다.
주사위의 눈의 수 중에서 10보다 큰 수는 **❷** 습니다.

[답] ❶ 6 ❷ 없

1 수의 범위를 수직선에 나타내고 수의 범위에서 가장 큰 자연수를 구하시오.

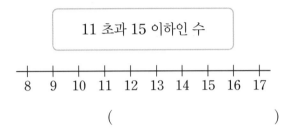

11 초과 15 이하인 수

```
    +---+---+---+---+---+---+---+---+---+
    8   9  10  11  12  13  14  15  16  17
```

( )

Tip

11 초과에서 11은 포함되지 않으므로 **❶** 로 표시하고, 15 이하에서 15는 포함되므로 **❷** 로 표시하여 범위를 나타낸 후 범위에서 가장 큰 자연수를 구합니다.

📋 **❶** ○ **❷** ●

2 자연수 부분이 8, 소수 둘째 자리 숫자가 6인 소수 두 자리 수 중에서 8.46 미만인 수를 모두 구하시오.

( )

Tip

자연수 부분이 8, 소수 둘째 자리 숫자가 6인 소수 두 자리 수는 8.■6이고, 8.46 미만인 수는 8.46보다 **❶** 수이므로 ■에 알맞은 수는 **❷** 보다 작은 수입니다.

📋 **❶** 작은 **❷** 4

3 79135를 버림하여 백의 자리까지 나타낸 수와 버림하여 천의 자리까지 나타낸 수의 차를 구하시오.

( )

Tip

79135에서 백의 자리 아래 수인 35를 버림하면 **❶** 이고, 천의 자리 아래 수인 135를 버림하면 **❷** 입니다.

📋 **❶** 79100 **❷** 79000

4 수 카드 3장을 한 번씩만 사용하여 가장 큰 세 자리 수를 만들었습니다. 만든 세 자리 수를 반올림하여 십의 자리까지 나타내시오.

( )

Tip

6＞5＞4이므로 가장 큰 세 자리 수를 만들면 **❶** 입니다. 만든 세 자리 수를 반올림하여 십의 자리까지 나타내려면 **❷** 의 자리 숫자가 0, 1, 2, 3, 4이면 버리고, 5, 6, 7, 8, 9이면 올립니다.

📋 **❶** 654 **❷** 일

5 영미네 반 남녀 학생들의 수학 경시대회 성적입니다. 남학생과 여학생 중 어느 쪽의 성적이 더 좋습니까?

남학생	여학생
82, 61, 67, 63, 84, 91, 75, 69, 83	94, 61, 78, 63, 74, 85, 81, 72

( )

Tip

(평균)=(자료의 값을 모두 더한 수)÷(❶   의 수)

남학생은 ❷   명이고, 여학생은 ❸   명이므로 남학생과 여학생의 성적을 각각 더해 학생 수로 나누어 줍니다.

📋 ❶ 자료 ❷ 9 ❸ 8

6 세웅이네 학교 5학년 반별 학생 수를 나타낸 표입니다. 반별 학생 수의 평균이 24명일 때 5반 학생 수는 몇 명입니까?

반별 학생 수

반	1	2	3	4	5
학생 수(명)	26	25	24	25	

( )

Tip

(자료의 값을 모두 더한 수)=(❶   )×(자료의 수)

(5학년 학생 수)=❷   ×5에서 1~4반 학생 수의 합을 빼 5반 학생 수를 구합니다.

📋 ❶ 평균 ❷ 24

7 빨간색, 파란색, 노란색으로 이루어진 회전판을 100번 돌렸을 때 화살이 빨간색에 51번, 파란색에 23번, 노란색에 27번 멈출 가능성이 더 높은 회전판을 찾아 기호를 쓰시오.

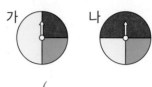

( )

Tip

빨간색에 가장 많이 멈췄고, 파란색과 노란색에 멈춘 횟수는 비슷하므로 빨간색의 넓이가 가장 ❶   고, 파란색과 ❷   색의 넓이가 비슷한 회전판을 찾습니다.

📋 ❶ 넓 ❷ 노란

8 주머니 속에 흰색 구슬 1개, 검은색 구슬 2개, 파란색 구슬 1개가 있습니다. 주머니에서 구슬 1개를 꺼낼 때 꺼낸 구슬이 검은색이 아닐 가능성을 수로 표현하시오.

( )

Tip

검은색 구슬이 2개, 나머지 구슬이 1+1=❶   (개)이므로 구슬 1개를 꺼냈을 때 검은색 구슬이 아닐 가능성은 '❷   이다'입니다.

📋 ❶ 2 ❷ 반반

누구나 만점 전략

01 34 이하인 수에 모두 ○표 하시오.

16	35	28	40	34
25	37	51	33	42

■ 이하인 수는 ■와 같거나 작은 수예요.

02 수를 버림하여 주어진 자리까지 나타내시오.

수	십의 자리	백의 자리
529		

03 범위에 포함되는 수의 개수를 구하시오.

> 7 이상 13 미만인 자연수

( )

04 우리나라 여러 도시의 10월 평균 기온을 조사하여 나타낸 표입니다. 표를 완성하시오.

도시별 10월 평균 기온

도시	서울	강릉	인천	부산	광주
기온(℃)	15.6	16.5	16	18.7	17.2

기온(℃)	도시
16 이하	
16 초과 17 이하	강릉
17 초과 18 이하	
18 초과	

05 아랑이와 친구들의 대화를 보고 잘못 말한 친구를 찾아 이름을 쓰시오.

> 아랑: 31694를 올림하여 천의 자리까지 나타내면 32000이야.
> 윤기: 31694를 버림하여 십의 자리까지 나타내면 31600이야.
> 민정: 31694를 반올림하여 백의 자리까지 나타내면 31700이야.

( )

06 범수네 모둠 학생들이 가지고 있는 구슬 수를 나타낸 표입니다. 범수네 모둠 학생들이 가지고 있는 구슬 수의 평균을 구하시오.

가지고 있는 구슬 수

이름	범수	재민	시은	주연
구슬 수(개)	30	26	12	28

(   )

07 창기네 모둠과 유정이네 모둠이 배구 경기를 했을 때 득점입니다. 어느 모둠의 득점의 평균이 몇 점 더 많은지 구하시오.

창기네 모둠

20점   18점
25점   21점

유정이네 모둠

25점   25점
13점   25점

(   ), (   )

08 일이 일어날 가능성을 생각해 보고, 알맞게 표현한 것에 ○표 하시오.

일　　　가능성	불가능하다	반반이다	확실하다
은행에서 뽑은 번호표의 번호가 홀수일 것입니다.			
5와 6을 더하면 30이 될 것입니다.			

09 일이 일어날 가능성이 '반반이다'인 상황을 모두 고르시오. (   )

① 100원짜리 동전을 던졌을 때 그림 면이 나올 가능성
② 주사위를 던졌을 때 눈의 수가 홀수일 가능성
③ 1부터 4까지 쓰여 있는 수 카드 4장 중 1장을 뽑았을 때 5일 가능성
④ 사탕만 들어 있는 주머니에서 1개를 꺼냈을 때 사탕일 가능성
⑤ 해가 동쪽에서 뜰 가능성

10 주머니에 흰색 바둑돌과 검은색 바둑돌이 다음과 같이 들어 있습니다. 주머니에서 바둑돌을 1개 꺼냈을 때 흰색 바둑돌일 가능성이 0인 주머니를 찾아 기호를 쓰시오.

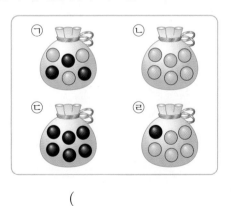

(   )

1 144 cm를 반올림하여 십의 자리까지 나타내면 몇 cm입니까?

(   )

문제 해결

2 500원짜리 동전을 던졌을 때 그림 면이 나올 가능성을 말과 수로 표현하시오.

말 _____ 수 _____

창의·융합·코딩 전략 ❷

1 바구니와 공이 있습니다. 바구니의 범위에 포함되는 수가 쓰인 공을 모두 담으려고 합니다. 바구니에 담고 남은 공은 몇 개인지 구하시오.

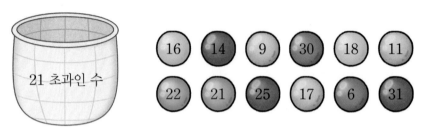

21 초과인 수

16 14 9 30 18 11
22 21 25 17 6 31

(   )

Tip

21 초과인 수는 21보다 **❶**   수이므로 바구니에 담을 공은 모두 **❷**   개입니다.

[답] **❶** 큰   **❷** 4

2 극장에 좌석이 다음과 같이 있습니다. 좌석 번호가 12 이상 18 미만인 좌석 중 가장 오른쪽에 있는 좌석에 ◯표 하시오.

앞

1 2 3 4 5 6 7 8 9
10 11 12 13 14 15 16 17 18
19 20 21 22 23 24 25 26 27
28 29 30 31 32 33 34 35 36
37 38 39 40 41 42 43 44 45

왼쪽

오른쪽

Tip

12 이상 18 미만인 수는 12와 **❶**   거나 크고 18보다 **❷**   수의 범위입니다.

범위에 해당하는 좌석 번호는 **❸**   부터 **❹**   까지의 수입니다.

[답] **❶** 같   **❷** 작은   **❸** 12   **❹** 17

3 동전을 모은 저금통을 열어 동전의 수를 세어 보니 500원짜리 110개, 100원짜리 204개, 50원짜리 30개, 10원짜리 16개였습니다. 이 돈을 지폐로 바꿀 때, 최대 얼마까지 바꿀 수 있는지 구하시오.

 110개　　 204개　　 30개　　 16개

(1) 모은 돈은 전부 얼마입니까?

(　　　　　　　　　　　)

(2) 천 원짜리 지폐로만 바꾸면 최대 얼마까지 바꿀 수 있습니까?

(　　　　　　　　　　　)

(3) 만 원짜리 지폐로만 바꾸면 최대 얼마까지 바꿀 수 있습니까?

(　　　　　　　　　　　)

Tip

모은 돈을 천 원짜리 지폐로만 바꾸려면 모은 돈을 ❶ [　　　　]하여 천의 자리까지 나타냅니다.

모은 돈을 만 원짜리 지폐로만 바꾸려면 모은 돈을 ❷ [　　　　]하여 만의 자리까지 나타냅니다.

[답] ❶ 버림 ❷ 버림

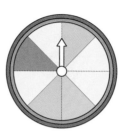

4 회전판을 똑같이 8칸으로 나누어 색칠한 것입니다. 이 회전판을 돌렸을 때 화살이 노란색에 멈출 가능성을 수로 표현하시오.

(   )

> **Tip**
>
> 회전판에서 노란색 부분은 전체 8칸 중 ❶[ ]칸입니다. 전체의 몇 분의 몇인지 알아보면 $\frac{4}{8}=$ ❷[ ]입니다.

[답] ❶ 4   ❷ $\frac{1}{2}$

5 윤희와 재성이는 보드 게임을 하고 있었는데 재성이의 말이 무인도에 갇혔습니다. 무인도에서 탈출하려면 주사위 2개를 같이 던졌을 때 눈의 수가 같아야 합니다. 재성이의 말이 무인도에서 한 번에 탈출할 가능성을 찾아 기호를 쓰시오.

← 일이 일어날 가능성이 낮습니다.	일이 일어날 가능성이 높습니다. →
~아닐 것 같다 ㉡	~일 것 같다 ㉣

불가능하다 ㉠   반반이다 ㉢   확실하다 ㉤

(   )

> **Tip**
>
> 주사위 2개를 같이 던져서 나오는 경우는 ❶[ ]가지이고, 2개의 눈의 수가 같은 경우는 ❷[ ]가지입니다.
> 주사위 2개의 눈의 수가 같게 나올 가능성의 정도를 알아봅니다.

[답] ❶ 36   ❷ 6

6 태인이네 가족이 몸무게를 재었습니다. 태인이의 몸무게가 40 kg일 때 태인이네 가족 3명의 몸무게의 평균을 구하시오.

어머니와 내가 같이 몸무게를 재었더니 96 kg이야.

같이 몸무게를 재었더니 121 kg 이구나.

(1) 어머니와 아버지의 몸무게는 각각 몇 kg입니까?

어머니 (   ), 아버지 (   )

(2) 태인이네 가족의 몸무게의 합은 몇 kg입니까?

(   )

(3) 태인이네 가족의 몸무게의 평균은 몇 kg입니까?

(   )

Tip

어머니의 몸무게는 (96−❶) kg, 아버지의 몸무게는 (121−❷) kg이고, 태인이네 가족은 ❸ 명입니다.

(평균)=(자료의 값을 모두 더한 수)÷(자료의 수)

[답] ❶ 40   ❷ 40   ❸ 3

$$\frac{1}{2} \times \frac{2}{3} = \frac{1 \times 2}{2 \times 3} = \frac{\overset{1}{2}}{\underset{3}{6}} = \frac{1}{3}$$

신유형·신경향·서술형 전략

[관련 단원] 수의 범위와 어림하기

1 책이 번호 순서대로 꽂혀 있습니다. 두 사람이 각자 말한 범위에 맞는 책을 모두 꺼내려고 합니다. 더 많은 책을 꺼낸 사람은 누구인지 구하시오.

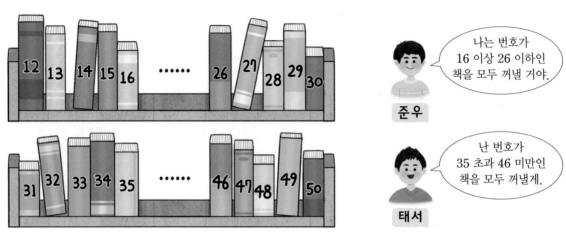

준우: 나는 번호가 16 이상 26 이하인 책을 모두 꺼낼 거야.

태서: 난 번호가 35 초과 46 미만인 책을 모두 꺼낼게.

❶ 준우가 꺼낸 책은 모두 몇 권인지 구하시오.

(   )

❷ 태서가 꺼낸 책은 모두 몇 권인지 구하시오.

(   )

❸ 준우와 태서 중 더 많은 책을 꺼낸 사람은 누구인지 구하시오.

(   )

Tip

• 16 이상 26 **❶**〔　　　　〕인 수의 범위는 16과 26을 포함합니다.

• 35 초과 46 미만인 수의 범위는 35와 46을 포함하지 **❷**〔　　　　〕.

[답] ❶ 이하 ❷ 않습니다

[관련 단원] **분수의 곱셈**

2 보기와 같이 점을 선으로 연결하여 두 도형 가와 나를 만들었습니다. 가와 나 중 어느 도형의 둘레가 더 긴지 구하시오. (단, 각 도형에서 점과 점 사이의 선의 길이는 모두 같습니다.)

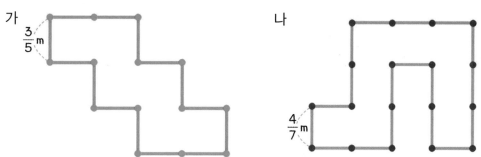

① 도형 가의 둘레는 몇 m인지 구하시오.

(   )

② 도형 나의 둘레는 몇 m인지 구하시오.

(   )

③ 가와 나 중 어느 도형의 둘레가 더 긴지 구하시오.

(   )

Tip

도형 가의 둘레는 $\frac{3}{5}$ m가 **❶** ☐ 개이고, 도형 나의 둘레는 $\frac{4}{7}$ m가 **❷** ☐ 개입니다.

[답] ❶ 14 ❷ 18

[관련 단원] **합동과 대칭**

3 크기가 같은 정사각형 4개를 변끼리 이어 붙여 만든 모양을 테트로미노라고 합니다. 선대칭도형이면서 점대칭도형인 테트로미노는 모두 몇 개인지 구하시오.

> 크기가 같은 정사각형 2개를 이어 붙여 만든 모양은 도미노,
> 3개를 이어 붙여 만든 모양은 트로미노라고 해요!

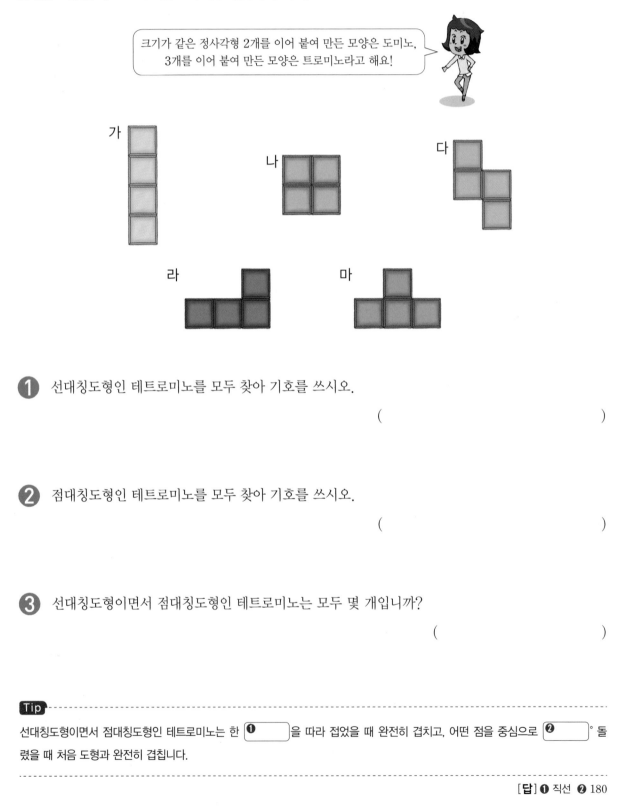

❶ 선대칭도형인 테트로미노를 모두 찾아 기호를 쓰시오.

( )

❷ 점대칭도형인 테트로미노를 모두 찾아 기호를 쓰시오.

( )

❸ 선대칭도형이면서 점대칭도형인 테트로미노는 모두 몇 개입니까?

( )

Tip

선대칭도형이면서 점대칭도형인 테트로미노는 한 ❶[ ]을 따라 접었을 때 완전히 겹치고, 어떤 점을 중심으로 ❷[ ]° 돌렸을 때 처음 도형과 완전히 겹칩니다.

[답] ❶ 직선 ❷ 180

[관련 단원] **소수의 곱셈**

4 색칠한 부분의 넓이는 몇 cm²인지 구하시오.

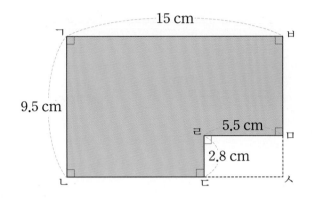

직사각형의 넓이를 이용해요.

❶ 직사각형 ㄱㄴㅅㅂ의 넓이는 몇 cm²인지 구하시오.

(   )

❷ 직사각형 ㄹㄷㅅㅁ의 넓이는 몇 cm²인지 구하시오.

(   )

❸ 색칠한 부분의 넓이는 몇 cm²인지 구하시오.

(   )

Tip

색칠한 부분의 넓이는 큰 직사각형 ㄱㄴㅅㅂ의 넓이에서 작은 직사각형 [❶   ]의 넓이를 [❷   ] 것과 같습니다.

[답] ❶ ㄹㄷㅅㅁ ❷ 뺀

[관련 단원] **직육면체**

5 전개도를 접어서 직육면체를 만들었을 때 면 바와 평행한 면의 넓이는 몇 cm²인지 구하시오.

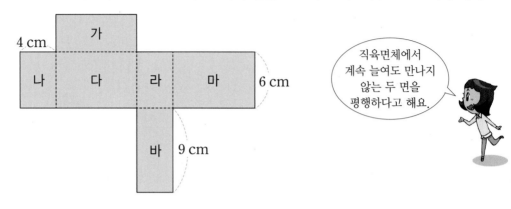

직육면체에서 계속 늘여도 만나지 않는 두 면을 평행하다고 해요.

① 면 바와 평행한 면을 찾아 쓰시오.

( )

② 면 바와 평행한 면의 가로와 세로는 각각 몇 cm인지 구하시오.

( ), ( )

③ 면 바와 평행한 면의 넓이는 몇 cm²인지 구하시오.

( )

Tip

전개도를 접어서 직육면체를 만들었을 때 서로 평행한 면은 서로 마주 보는 면이고 마주 보는 면끼리 서로 ❶ ☐ 입니다.

직육면체의 전개도를 접었을 때 겹치는 선분끼리 길이가 ❷ ☐ .

[답] ❶ 합동 ❷ 같습니다

[관련 단원] **평균과 가능성**

6 다음은 어느 날 남부 지방의 최저 기온(■)과 최고 기온(■)을 나타낸 것입니다. 지도에 표시된 여섯 지역의 최고 기온의 평균은 최저 기온의 평균보다 몇 ℃ 더 높은지 구하시오.

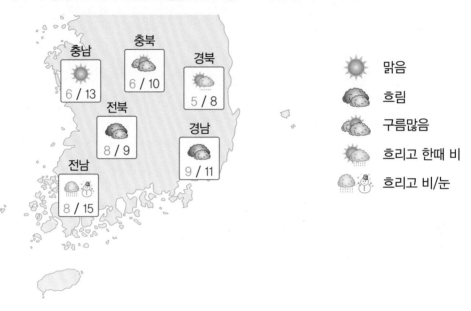

① 지도에 표시된 여섯 지역의 최저 기온의 평균은 몇 ℃인지 구하시오.

( )

② 지도에 표시된 여섯 지역의 최고 기온의 평균은 몇 ℃인지 구하시오.

( )

③ 지도에 표시된 여섯 지역의 최고 기온의 평균은 최저 기온의 평균보다 몇 ℃ 더 높은지 구하시오.

( )

Tip

여섯 지역의 기온의 평균은 각 지역의 **❶** 을 모두 더해 조사한 지역의 수인 **❷** 으로 나누어 구할 수 있습니다.

[답] **❶** 기온 **❷** 6

01 그림을 보고 ⬜ 안에 알맞은 수를 써넣으시오.

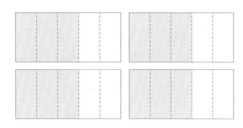

$$\frac{3}{5} \times 4 = \frac{3 \times \boxed{}}{5} = \frac{\boxed{}}{\boxed{}} = \boxed{}\frac{\boxed{}}{\boxed{}}$$

02 ⬜ 안에 알맞은 수를 써넣으시오.

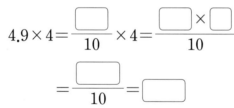

$$4.9 \times 4 = \frac{\boxed{}}{10} \times 4 = \frac{\boxed{} \times \boxed{}}{10}$$

$$= \frac{\boxed{}}{10} = \boxed{}$$

소수를 분수로 나타내어 분수의 곱셈으로 계산할 수 있어요.

03 계산을 하시오.

(1) $6 \times \frac{3}{10}$

(2) $15 \times 1\frac{1}{6}$

04 계산을 하시오.

(1) 3×3.7

(2) 0.4×0.9

(3) 5.1×6

05 빈 곳에 알맞은 수를 써넣으시오.

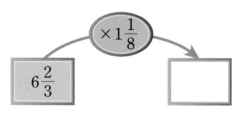

06 ○ 안에 >, =, <를 알맞게 써넣으시오.

(1) $\dfrac{8}{9} \times \dfrac{9}{10}$ ○ $\dfrac{8}{9}$

(2) $3\dfrac{4}{5}$ ○ $3\dfrac{4}{5} \times 2\dfrac{1}{5}$

07 □ 안에 알맞은 수를 써넣으시오.

$$1.54 \times 72 = 110.88$$
$$1.54 \times 7.2 = \boxed{}$$
$$1.54 \times 0.72 = \boxed{}$$

08 보기 를 이용하여 다음을 계산하시오.

보기
$$816 \times 32 = 26112$$

(1) $816 \times 0.32 = \boxed{}$

(2) $8.16 \times 3.2 = \boxed{}$

09 어림하여 계산 결과가 6보다 큰 것을 찾아 기호를 쓰시오.

⊙ 6×0.87
ⓒ 2의 3.04
ⓒ 3의 1.9배

소수를 자연수로 어림하여 곱을 비교해 보세요.

(   )

10 가장 큰 수와 가장 작은 수의 곱을 구하시오.

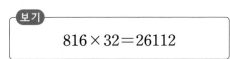

$$\dfrac{5}{12} \qquad 1\dfrac{1}{4} \qquad \dfrac{5}{6}$$

(   )

11 윤선이는 색종이 35장을 가지고 있습니다. 그중 $\frac{5}{7}$가 노란색 색종이입니다. 윤선이가 가지고 있는 노란색 색종이는 몇 장인지 구하시오.

( )

12 한 변의 길이가 $3\frac{5}{6}$ cm인 정삼각형의 둘레는 몇 cm인지 구하시오.

정삼각형은 세 변의 길이가 같아요!

$3\frac{5}{6}$ cm

( )

13 ☐ 안에 들어갈 수 있는 가장 큰 자연수를 구하시오.

$$7.45 \times 8 > \boxed{}$$

( )

14 참치캔 한 캔은 0.2 kg입니다. 그중 0.18이 단백질 성분일 때 단백질 성분이 몇 kg인지 구하시오.

( )

15 직사각형 모양의 액자가 있습니다. 이 액자의 넓이는 몇 cm²인지 구하시오.

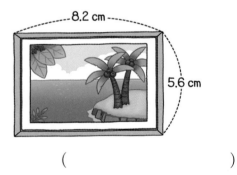

8.2 cm

5.6 cm

( )

16 평행사변형의 넓이는 몇 cm²인지 구하시오.

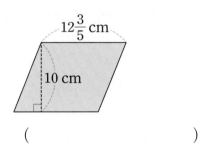

$12\frac{3}{5}$ cm

10 cm

(   )

17 계산 결과를 비교하여 크기가 가장 큰 식을 찾아 기호를 쓰시오.

> ㉠ 3.2×1.4
> ㉡ 0.8×5.7
> ㉢ 2.6×2.1

(   )

18 3장의 수 카드 2 , 5 , 8 을 각각 한 번씩만 사용하여 대분수를 만들려고 합니다. 만들 수 있는 가장 큰 대분수와 가장 작은 대분수의 곱을 구하시오.

(   )

19 석현이는 6월 한 달 동안 하루에 1시간 30분씩 매일 공부를 했습니다. 6월 한 달 동안 석현이가 공부를 한 시간은 모두 몇 시간인지 구하시오.

(   )

20 병호네 학교의 5학년 학생 수는 전체 학생 수의 $\frac{3}{16}$입니다. 5학년 학생 수의 $\frac{1}{3}$은 여학생이고, 그중 $\frac{4}{7}$는 체육을 좋아합니다. 체육을 좋아하는 5학년 여학생은 병호네 학교 전체 학생의 얼마인지 구하시오.

(   )

01 오른쪽 도형과 서로 합동인
도형을 찾아 기호를 쓰시오.

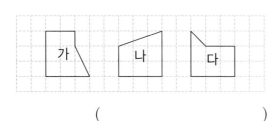

( )

주어진 도형과
모양과 크기가 같은
도형을 찾아요.

02 ☐ 안에 알맞은 말을 써넣으시오.

(1) ☐   6개로 둘러싸인 도형을
직육면체라고 합니다.

(2) ☐   6개로 둘러싸인 도형을
정육면체라고 합니다.

03 두 사각형은 서로 합동입니다. 물음에 답하
시오.

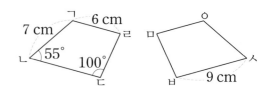

(1) 변 ㅇㅅ은 몇 cm인지 구하시오.
( )

(2) 각 ㅁㅂㅅ은 몇 도인지 구하시오.
( )

[04~05] 그림을 보고 물음에 답하시오.

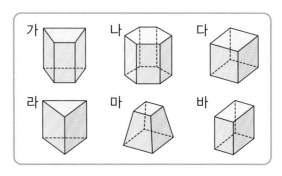

04 직육면체를 모두 찾아 기호를 쓰시오.
( )

05 정육면체를 찾아 기호를 쓰시오.
( )

[06~07] 도형을 보고 물음에 답하시오.

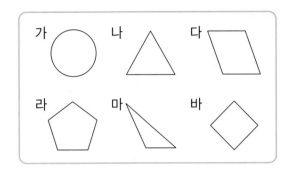

06 선대칭도형을 모두 찾아 기호를 쓰시오.

( )

07 점대칭도형을 모두 찾아 기호를 쓰시오.

( )

08 다음 도형은 선대칭도형입니다. 대칭축을 그려 보시오.

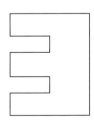

09 직육면체에서 면 ㄷㅅㅇㄹ과 평행한 면은 어느 것입니까? ( )

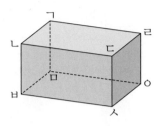

① 면 ㄱㄴㄷㄹ   ② 면 ㄴㅂㅅㄷ
③ 면 ㅁㅂㅅㅇ   ④ 면 ㄱㄴㅂㅁ
⑤ 면 ㄱㅁㅇㄹ

10 직육면체에서 보이지 않는 면, 보이지 않는 모서리, 보이지 않는 꼭짓점의 수를 각각 구하시오.

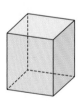

보이지 않는 면의 수(개)	
보이지 않는 모서리의 수(개)	
보이지 않는 꼭짓점의 수(개)	

11 직육면체에 대해 잘못 설명한 사람을 찾아 이름을 쓰시오.

소라   태서   정표

(   )

12 그림에서 빠진 부분을 그려 넣어 직육면체의 겨냥도를 완성하시오.

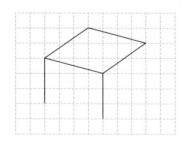

[13~14] 다음 도형은 점대칭도형입니다. 물음에 답하시오.

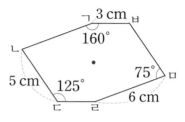

13 각 ㄱㅂㅁ은 몇 도인지 구하시오.

(   )

14 점대칭도형의 둘레는 몇 cm인지 구하시오.

(   )

15 직선 ㄱㄴ을 대칭축으로 하는 선대칭도형을 완성하시오.

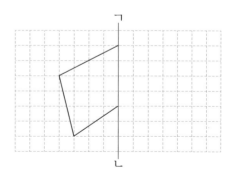

16 점 ○을 대칭의 중심으로 하는 점대칭도형을 완성하시오.

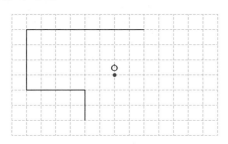

19 선대칭도형이면서 점대칭도형인 알파벳을 모두 찾아 기호를 쓰시오.

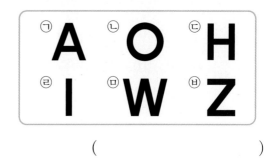

(   )

[17~18] 전개도를 접어서 정육면체를 만들었습니다. 물음에 답하시오.

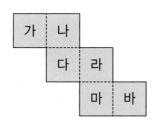

17 면 다와 평행한 면을 찾아 쓰시오.

(   )

18 면 가와 수직인 면을 모두 찾아 쓰시오.

(   )

20 직육면체의 겨냥도를 보고 전개도를 완성하시오.

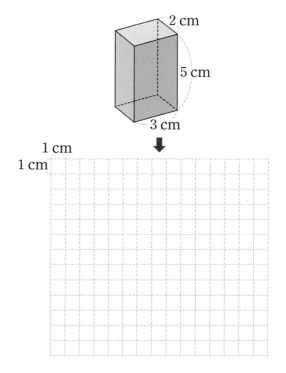

01 수의 범위를 나타내는 알맞은 말을 ◯ 안에 써넣으시오.

> 10과 같거나 큰 수를 10 [   ]인 수
> 라 하고, 10보다 큰 수를 10 [   ]인
> 수라고 합니다.

02 24 이상인 수에 ◯표, 22 미만인 수에 △표 하시오.

> | 19 | 22 | 30 | 20 | 24 | 23 | 28 |

03 수의 범위를 수직선에 나타내고, 그 범위에 포함되는 자연수를 모두 쓰시오.

> 45 초과 50 이하인 수

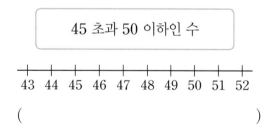

43 44 45 46 47 48 49 50 51 52

(   )

[04~06] 지선이가 월요일부터 금요일까지 마신 우유의 양을 나타낸 표입니다. 물음에 답하시오.

지선이가 마신 우유의 양

요일	월	화	수	목	금
우유의 양 (mL)	300	250	350	200	250

04 지선이가 월요일부터 금요일까지 마신 우유의 양은 모두 몇 mL입니까?

(   )

05 지선이가 우유를 마신 날은 모두 며칠입니까?

(   )

06 지선이가 하루에 마신 우유의 양의 평균은 몇 mL인지 구하시오.

마신 우유의 양을 모두 더해 요일의 수로 나누면 평균을 구할 수 있어요.

(   )

[07~08] 민정이네 반 여학생들이 1분 동안 한 윗몸 말아 올리기 횟수와 등급별 윗몸 말아 올리기 횟수를 나타낸 표입니다. 물음에 답하시오.

1분 동안 한 윗몸 말아 올리기 횟수

이름	횟수(회)	이름	횟수(회)
민정	32	효선	15
혜수	13	은서	22
세영	47	지효	64
소민	35	미연	58
희진	6	예지	29

등급별 윗몸 말아 올리기 횟수

등급	횟수(회)
1	60 이상
2	35 초과 60 미만
3	22 초과 35 이하
4	6 초과 22 이하
5	6 이하

07 소민이의 윗몸 말아 올리기 등급을 구하시오. (   )

① 1등급   ② 2등급   ③ 3등급
④ 4등급   ⑤ 5등급

08 윗몸 말아 올리기 4등급을 받은 학생은 모두 몇 명입니까?

(   )

09 준석이네 학교 5학년 학급별 학생 수를 나타낸 표입니다. 한 학급당 학생 수의 평균은 몇 명인지 구하시오.

학급별 학생 수

학급(반)	1반	2반	3반	4반	5반
학생 수(명)	28	26	27	24	25

(   )

10 일이 일어날 가능성으로 알맞은 것을 보기에서 찾아 ☐ 안에 기호를 써넣으시오.

보기
㉠ 반반이다   ㉡ 확실하다
㉢ ~일 것 같다   ㉣ 불가능하다
㉤ ~아닐 것 같다

← 일이 일어날 가능성이 낮습니다.   일이 일어날 가능성이 높습니다. →

11 준우가 말한 일이 일어날 가능성으로 옳은 것은 어느 것입니까? (   )

> 흰색 바둑돌 1개와 검은색 바둑돌 3개가 들어 있는 상자에서 바둑돌 1개를 꺼내면 흰색 바둑돌이 나올 것입니다.

준우

① 불가능하다 ② ~아닐 것 같다
③ 반반이다   ④ ~일 것 같다
⑤ 확실하다

12 수를 올림하여 주어진 자리까지 나타내시오.

수	십의 자리	백의 자리	천의 자리
29302			

13 오늘 하루 박물관에 입장한 관람객 수는 1549명입니다. 관람객 수를 올림, 버림, 반올림하여 백의 자리까지 나타내시오.

관람객 수(명)	올림	버림	반올림
1549			

14 두 모둠의 투호에 넣은 화살 수를 나타낸 표입니다. 두 모둠의 기록에 대해 바르게 말한 친구는 누구입니까?

효주네 모둠이 넣은 화살 수

이름	효주	재윤	성재
화살 수(개)	3	9	6

규호네 모둠이 넣은 화살 수

이름	규호	주희	연정	정민
화살 수(개)	8	4	2	6

소라: 넣은 화살 수가 효주네 모둠은 총 18개, 규호네 모둠은 총 20개이니까 규호네 모둠이 더 잘했어.

준우: 두 모둠의 투호에 넣은 화살 수의 평균을 구해 보면 어느 모둠이 더 잘했는지 비교할 수 있어.

정표: 효주네 모둠의 최고 기록은 9개, 규호네 모둠의 최고 기록은 8개이니까 효주네 모둠이 더 잘했어.

(   )

15 주사위를 한 번 굴릴 때, 주사위 눈의 수가 6 이하일 가능성을 수로 표현해 보시오.

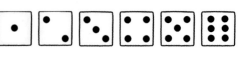

(   )

16 회전판에서 화살이 초록색에 멈출 가능성이 높은 순서대로 기호를 쓰시오.

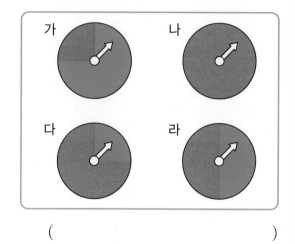

( )

17 다음 카드 중에서 한 장을 뽑을 때 ☆ 카드를 뽑을 가능성을 수로 표현해 보시오.

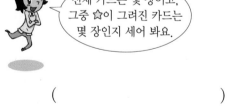
전체 카드는 몇 장이고, 그중 ☆이 그려진 카드는 몇 장인지 세어 봐요.

( )

18 어떤 수를 반올림하여 십의 자리까지 나타내었더니 430이 되었습니다. 어떤 수가 될 수 있는 수의 범위를 이상과 미만을 이용하여 나타내시오.

[ ] 이상 [ ] 미만

19 귤 455상자를 트럭에 모두 실으려고 합니다. 트럭 한 대에 100상자씩 실을 수 있을 때 트럭은 최소 몇 대가 필요한지 구하시오.

올림, 버림, 반올림 중에서 어느 방법으로 해결해야 할지 생각해 보세요.

( )

20 동전을 모은 저금통을 열어서 세어 보니 모두 27590원이었습니다. 이것을 1000원짜리 지폐로 바꾸면 최대 얼마까지 바꿀 수 있는지 구하시오.

( )

메모

초등생의 필수 학습!
탄탄하게 다져주자!

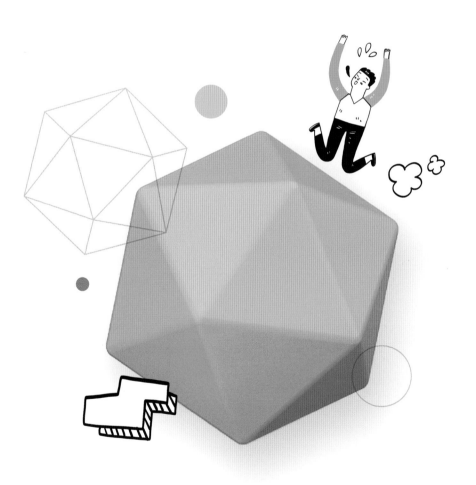

수학
전략

초등 **수학**

천재교육

초등생의 필수 학습!
탄탄하게 다져투자!

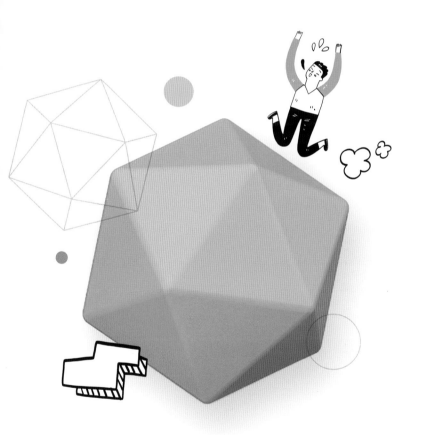

수학
전략

초등 **수학**

5·2

핵심개념&**연산 집중연습**

천재교육

5·2

목차

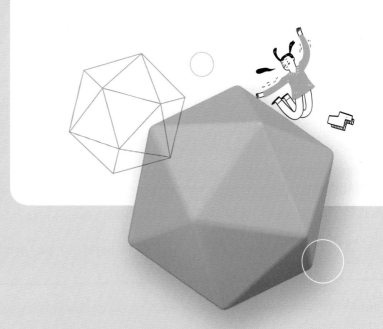

1 이상과 이하 알아보기

○ 이상 알아보기

10, 11, 12, 13 등과 같이 10과 같거나 **❶**⬚ 수를 10 이상인 수라고 합니다.

10 이상인 수는 수직선에 다음과 같이 나타냅니다.

➡ 10 이상인 수는 10에 ●로 표시하고 오른쪽으로 선을 긋습니다.

○ 이하 알아보기

9.0, 8.5, 7.2, 6.8 등과 같이 9와 같거나 작은 수를 9 **❷**⬚인 수라고 합니다.

9 이하인 수는 수직선에 다음과 같이 나타냅니다.

➡ 9 이하인 수는 9에 ●로 표시하고 왼쪽으로 선을 긋습니다.

말풍선: ■ 이상인 수는 ■와 같거나 큰 수예요.

말풍선: ▲ 이하인 수는 ▲와 같거나 작은 수예요.

[답] **❶** 큰   **❷** 이하

핵심체크

1 8과 같거나 큰 수를 8 (이상 , 이하)인 수라고 합니다.

2 13과 같거나 작은 수를 13 (이상 , 이하)인 수라고 합니다.

2 초과와 미만 알아보기

개념 핵심노트

● 초과 알아보기

20.5, 23.3, 24.0 등과 같이 20보다 큰 수를 20 ❶⬜️인 수라고 합니다.

20 초과인 수는 수직선에 다음과 같이 나타냅니다.

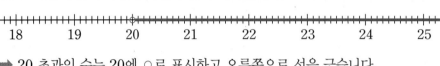

➡ 20 초과인 수는 20에 ○로 표시하고 오른쪽으로 선을 긋습니다.

> ■ 초과인 수는 ■보다 큰 수예요.

● 미만 알아보기

14.5, 14.0, 13.4 등과 같이 15보다 ❷⬜️ 수를 15 미만인 수라고 합니다.

15 미만인 수는 수직선에 다음과 같이 나타냅니다.

➡ 15 미만인 수는 15에 ○로 표시하고 왼쪽으로 선을 긋습니다.

> ▲ 미만인 수는 ▲보다 작은 수예요.

[답] ❶ 초과 ❷ 작은

핵심체크

1 10 초과인 수는 10보다 (큰 , 작은) 수입니다.

2 8 미만인 수는 8보다 (큰 , 작은) 수입니다.

3 수의 범위를 활용하여 문제 해결하기

● 수의 범위를 수직선에 나타내기

	이상	이하	초과	미만
점	●	●	○	○
선 방향	→	←	→	←

5 이상 8 이하인 수

➡ 5와 8에 ●로 표시하고 그 사이를 선으로 잇습니다.

5 이상 8 **❶**[   ] 인 수

➡ 5에 ●, 8에 ○로 표시하고 그 사이를 선으로 잇습니다.

5 초과 8 이하인 수

➡ 5에 ○, 8에 ●로 표시하고 그 사이를 선으로 잇습니다.

5 **❷**[   ] 8 미만인 수

➡ 5와 8에 ○로 표시하고 그 사이를 선으로 잇습니다.

이상, 이하는 경곗값을 포함하고, 초과, 미만은 경곗값을 포함하지 않아요.

[답] ❶ 미만 ❷ 초과

핵심 체크

1 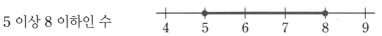 ➡ 4 (이상 , 초과) 7 (이상 , 미만)인 수

2  ➡ 7 (이상 , 초과) 10 (이하 , 미만)인 수

4 올림, 버림, 반올림 알아보기

● 올림 알아보기

구하려는 자리의 아래 수를 ❶[   ] 나타내는 방법을 올림이라고 합니다.

예 134를 올림하기

올림하여 십의 자리까지 나타내기	올림하여 백의 자리까지 나타내기
134 ➡ 140 └ 십의 자리 아래 수인 4를 10으로 봅니다.	134 ➡ 200 └ 백의 자리 아래 수인 34를 100으로 봅니다.

● 버림 알아보기

구하려는 자리의 아래 수를 ❷[   ] 나타내는 방법을 버림이라고 합니다.

예 725를 버림하기

버림하여 십의 자리까지 나타내기	버림하여 백의 자리까지 나타내기
725 ➡ 720 └ 십의 자리 아래 수인 5를 0으로 봅니다.	725 ➡ 700 └ 백의 자리 아래 수인 25를 0으로 봅니다.

● 반올림 알아보기

구하려는 자리 바로 아래 자리의 숫자가 0, 1, 2, 3, 4이면 버리고, 5, 6, 7, 8, 9이면 ❸[   ] 나타내는 방법을 반올림이라고 합니다.

예 4371을 반올림하기

반올림하여 십의 자리까지 나타내기	반올림하여 백의 자리까지 나타내기
4371 ➡ 4370 └ 일의 자리 숫자가 1이므로 버림합니다.	4371 ➡ 4400 └ 십의 자리 숫자가 7이므로 올림합니다.

[답] ❶ 올려서 ❷ 버려서 ❸ 올려서

핵심체크

1 125를 올림하여 십의 자리까지 나타내면 십의 자리 아래 수인 5를 (0 , 10)으로 보고 올림하면 (120 , 130)입니다.

2 374를 버림하여 백의 자리까지 나타내면 백의 자리 아래 수인 74를 (0 , 100)으로 보고 버림하면 (300 , 400)입니다.

집중 연습

[01~10] 수의 범위에 알맞은 수를 모두 찾아 ○ 표 하시오.

01 10 이상인 수

| 7 | 8 | 9 | 10 | 11 | 12 |

02 24 이하인 수

| 22 | 23 | 24 | 25 | 26 | 27 |

03 8 초과인 수

| 6 | 7 | 8 | 9 | 10 | 11 |

04 31 미만인 수

| 29 | 30 | 31 | 32 | 33 | 34 |

05 7 이상 10 이하인 수

| 6 | 7 | 8 | 9 | 10 | 11 |

06 13 이상 15 미만인 수

| 12 | 13 | 14 | 15 | 16 | 17 |

07 20 초과 23 이하인 수

| 19 | 20 | 21 | 22 | 23 | 24 |

08 14 초과 18 미만인 수

| 13 | 14 | 15 | 16 | 17 | 18 |

09 11 이상 21 이하인 수

| 11 | 6.5 | 22 | 29.9 | 20.3 | 17 |

10 34 초과 40 이하인 수

| 35 | 28.9 | 40 | 43.7 | 38.2 | 50 |

[11~20] 수를 어림하여 주어진 자리까지 나타내시오.

11 176을 올림하여 십의 자리까지 나타내기

(   )

12 213을 올림하여 백의 자리까지 나타내기

(   )

13 4520을 올림하여 천의 자리까지 나타내기

(   )

14 206을 버림하여 백의 자리까지 나타내기

(   )

15 3559를 버림하여 십의 자리까지 나타내기

(   )

16 2390을 버림하여 천의 자리까지 나타내기

(   )

17 917을 반올림하여 십의 자리까지 나타내기

(   )

18 148을 반올림하여 백의 자리까지 나타내기

(   )

19 6500을 반올림하여 십의 자리까지 나타내기

(   )

20 3974를 반올림하여 천의 자리까지 나타내기

(   )

5 (단위분수) × (자연수), (진분수) × (자연수)

○ (단위분수) × (자연수)

단위분수의 분자와 ❶[   ]를 곱하여 계산합니다.   예 $\dfrac{1}{5} \times 3 = \dfrac{1}{5} + \dfrac{1}{5} + \dfrac{1}{5} = \dfrac{1 \times 3}{5} = \dfrac{3}{5}$

○ (진분수) × (자연수)

진분수의 ❷[   ]와 자연수를 곱하여 계산합니다.

예 $\dfrac{7}{9} \times 3$의 계산

방법1   분자와 자연수를 곱한 후 약분하여 계산하기

$$\dfrac{7}{9} \times 3 = \dfrac{7 \times 3}{9} = \dfrac{\overset{7}{\cancel{21}}}{\underset{3}{\cancel{9}}} = \dfrac{7}{3} = 2\dfrac{1}{3}$$

방법2   분자와 자연수를 곱하는 과정에서 약분하여 계산하기

$$\dfrac{7}{9} \times 3 = \dfrac{7 \times \overset{1}{\cancel{3}}}{\underset{3}{\cancel{9}}} = \dfrac{7}{3} = 2\dfrac{1}{3}$$

방법3   분모와 자연수를 약분한 후 계산하기

$$\dfrac{7}{\underset{3}{\cancel{9}}} \times \overset{1}{\cancel{3}} = \dfrac{7}{3} = 2\dfrac{1}{3}$$

$$\dfrac{\blacktriangle}{\blacksquare} \times \bullet = \dfrac{\blacktriangle \times \bullet}{\blacksquare}$$

[답] ❶ 자연수   ❷ 분자

핵심체크

1   (진분수) × (자연수)는 분자와 (분모 , 자연수)를 곱한 후 약분하여 계산할 수 있습니다.

2   (진분수) × (자연수)는 분모와 자연수를 약분한 후 계산할 수 있습니다. (○ , ×)

6 **(대분수) × (자연수)**

○ $1\frac{1}{4} \times 3$의 계산

방법1 대분수를 ❶ [   ]로 바꾸어 계산하기

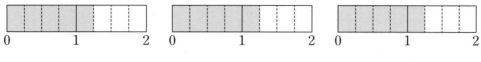

➡ $1\frac{1}{4} \times 3 = \frac{5}{4} \times 3 = \frac{5 \times 3}{4} = \frac{15}{4} = 3\frac{3}{4}$

방법2 대분수를 ❷ [   ]와 진분수의 합으로 나누어 계산하기

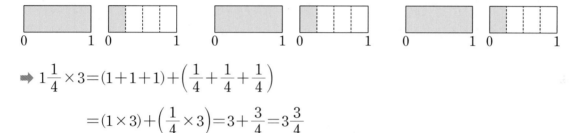

➡ $1\frac{1}{4} \times 3 = (1+1+1) + \left(\frac{1}{4} + \frac{1}{4} + \frac{1}{4}\right)$

$= (1 \times 3) + \left(\frac{1}{4} \times 3\right) = 3 + \frac{3}{4} = 3\frac{3}{4}$

[답] ❶ 가분수 ❷ 자연수

핵심체크

1 (대분수) × (자연수)는 대분수를 (진분수 , 가분수)로 바꾸어 계산할 수 있습니다.

(대분수) × (자연수)에서 대분수를 자연수와 진분수의 합으로 나누어 계산할 수 있어요.

2 $1\frac{1}{8} \times 2$는 $1\frac{1}{8}$을 $\left(1+\frac{1}{8} , 1-\frac{1}{8} \right)$로 나누어 계산할 수 있습니다.

7 (자연수) × (단위분수), (자연수) × (진분수)

○ (자연수) × (단위분수)

자연수와 단위분수의 **❶**[   ]를 곱하여 계산합니다.   예 $6 \times \dfrac{1}{5} = \dfrac{6 \times 1}{5} = \dfrac{6}{5} = 1\dfrac{1}{5}$

○ (자연수) × (진분수)

자연수와 진분수의 분자를 곱하여 계산합니다.

예 $8 \times \dfrac{7}{12}$의 계산

방법1 자연수와 분자를 곱한 후 **❷**[   ]하여 계산하기

$$8 \times \frac{7}{12} = \frac{8 \times 7}{12} = \frac{\overset{14}{\cancel{56}}}{\underset{3}{\cancel{12}}} = \frac{14}{3} = 4\frac{2}{3}$$

방법2 자연수와 분자를 곱하는 과정에서 약분하여 계산하기

$$8 \times \frac{7}{12} = \frac{\overset{2}{8} \times 7}{\underset{3}{\cancel{12}}} = \frac{14}{3} = 4\frac{2}{3}$$

방법3 자연수와 **❸**[   ]를 약분한 후 계산하기

$$\overset{2}{\cancel{8}} \times \frac{7}{\underset{3}{\cancel{12}}} = \frac{2 \times 7}{3} = \frac{14}{3} = 4\frac{2}{3}$$

자연수와 분모를
먼저 약분해도 돼요.

[답] ❶ 분자 ❷ 약분 ❸ 분모

핵심 체크

1 (자연수) × (진분수)는 자연수와 (분자 , 분모)를 곱한 후 약분하여 계산할 수 있습니다.

2 $12 \times \dfrac{3}{4}$에서 12와 (3 , 4)을/를 약분한 후 계산할 수 있습니다.

8 (자연수) × (대분수)

○ $2 \times 1\frac{1}{5}$의 계산

방법1 대분수를 ❶ [　　　　]로 바꾸어 계산하기

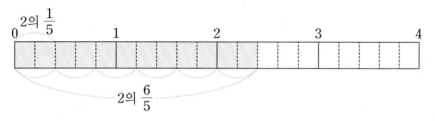

2의 $\frac{6}{5}$

➡ $2 \times 1\frac{1}{5} = 2 \times \frac{6}{5} = \frac{2 \times 6}{5} = \frac{12}{5} = 2\frac{2}{5}$

방법2 대분수를 ❷ [　　　　]와 진분수의 합으로 나누어 계산하기

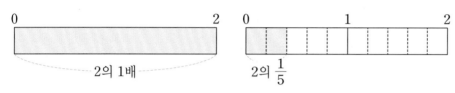

2의 1배　　　2의 $\frac{1}{5}$

➡ $2 \times 1\frac{1}{5} = (2 \times 1) + \left(2 \times \frac{1}{5}\right) = 2 + \frac{2}{5} = 2\frac{2}{5}$

어떤 수에 진분수를 곱하면 어떤 수보다 작아지고, 대분수를 곱하면 어떤 수보다 커져요.

[답] ❶ 가분수　❷ 자연수

핵심 체크

1 (자연수) × (대분수)는 대분수를 (진분로 , 가분수)로 바꾸어 계산할 수 있습니다.

2 $6 \times 2\frac{2}{3}$에서 6과 3을 먼저 약분한 후 계산할 수 있습니다. (○ , ×)

9 (단위분수)×(단위분수), (진분수)×(진분수)

○ (단위분수)×(단위분수)

분자 1은 그대로 두고 ❶[   ]끼리 곱합니다.   예 $\dfrac{1}{2} \times \dfrac{1}{4} = \dfrac{1}{2 \times 4} = \dfrac{1}{8}$

○ (진분수)×(진분수)

예 $\dfrac{2}{5} \times \dfrac{3}{10}$ 의 계산

방법1 분자는 분자끼리, 분모는 분모끼리 곱한 후 ❷[   ]하여 계산하기

$$\dfrac{2}{5} \times \dfrac{3}{10} = \dfrac{2 \times 3}{5 \times 10} = \dfrac{\overset{3}{\cancel{6}}}{\underset{25}{\cancel{50}}} = \dfrac{3}{25}$$

방법2 분자는 분자끼리, 분모는 분모끼리 곱하는 과정에서 약분하여 계산하기

$$\dfrac{2}{5} \times \dfrac{3}{10} = \dfrac{\overset{1}{\cancel{2}} \times 3}{5 \times \underset{5}{\cancel{10}}} = \dfrac{3}{25}$$

방법3 분자와 분모를 약분한 후 분자는 ❸[   ]끼리, 분모는 분모끼리 곱하기

$$\dfrac{\overset{1}{\cancel{2}}}{5} \times \dfrac{3}{\underset{5}{\cancel{10}}} = \dfrac{1 \times 3}{5 \times 5} = \dfrac{3}{25}$$

[답] ❶ 분모 ❷ 약분 ❸ 분자

핵심 체크

1 (단위분수)×(단위분수)에서 분자는 항상 (0 , 1)입니다.

$$\dfrac{1}{\blacksquare} \times \dfrac{1}{\blacktriangle} = \dfrac{1}{\blacksquare \times \blacktriangle}$$

2 (진분수)×(진분수)는 분자는 (분자 , 분모)끼리, 분모는 (분자 , 분모)끼리 곱합니다.

10 (진분수)×(대분수), (대분수)×(진분수), (대분수)×(대분수)

○ $\dfrac{7}{8} \times 1\dfrac{4}{5}$의 계산

방법1 대분수를 가분수로 바꾸어 계산하기

$$\dfrac{7}{8} \times 1\dfrac{4}{5} = \dfrac{7}{8} \times \dfrac{9}{5} = \dfrac{7 \times 9}{8 \times 5} = \dfrac{63}{40} = 1\dfrac{23}{40}$$

방법2 대분수를 자연수와 진분수의 합으로 나누어 계산하기

$$\dfrac{7}{8} \times 1\dfrac{4}{5} = \left(\dfrac{7}{8} \times 1\right) + \left(\dfrac{7}{\underset{2}{8}} \times \dfrac{\overset{1}{4}}{5}\right) = \dfrac{7}{8} + \dfrac{7}{10} = \dfrac{63}{40} = \boxed{❶}$$
$$\underset{\dfrac{35}{40} + \dfrac{28}{40}}{}$$

$1\dfrac{4}{5} \times \dfrac{7}{8}$은 $\dfrac{7}{8} \times 1\dfrac{4}{5}$와 계산 결과가 같아요.

○ $1\dfrac{2}{9} \times 3\dfrac{3}{4}$의 계산

방법1 대분수를 가분수로 바꾸어 계산하기

$$1\dfrac{2}{9} \times 3\dfrac{3}{4} = \dfrac{11}{\underset{3}{9}} \times \dfrac{\overset{5}{15}}{4} = \dfrac{11 \times 5}{3 \times 4} = \dfrac{55}{12} = \boxed{❷}$$

방법2 대분수를 자연수와 진분수의 합으로 나누어 계산하기

$$1\dfrac{2}{9} \times 3\dfrac{3}{4} = \left(1\dfrac{2}{9} \times 3\right) + \left(1\dfrac{2}{9} \times \dfrac{3}{4}\right) = \left(\dfrac{11}{\underset{3}{9}} \times \overset{1}{3}\right) + \left(\dfrac{11}{\underset{3}{9}} \times \dfrac{\overset{1}{3}}{4}\right)$$

$$= 3\dfrac{2}{3} + \dfrac{11}{12} = 3\dfrac{8}{12} + \dfrac{11}{12} = 3\dfrac{19}{12} = 4\dfrac{7}{12}$$

[답] **❶** $1\dfrac{23}{40}$ **❷** $4\dfrac{7}{12}$

핵심체크

1 (대분수)×(진분수)는 대분수를 가분수로 바꾼 다음 분자는 분자끼리, 분모는 분모끼리 (더합니다 , 곱합니다).

2 $2\dfrac{3}{5} \times \dfrac{7}{9}$에서 $2\dfrac{3}{5}$을 $\dfrac{13}{5}$으로 바꾼 다음 분모는 (5×7 , 5×9)로 계산하고, 분자는 (3×7 , 13×7)로 계산합니다.

[01~10] 계산을 하시오.

01 $\dfrac{1}{8} \times 5$

02 $\dfrac{5}{6} \times 3$

03 $\dfrac{7}{8} \times 9$

04 $2\dfrac{1}{8} \times 6$

05 $4\dfrac{8}{9} \times 3$

06 $18 \times \dfrac{1}{3}$

07 $20 \times \dfrac{4}{5}$

08 $27 \times \dfrac{7}{12}$

09 $10 \times 1\dfrac{3}{5}$

10 $12 \times 3\dfrac{1}{10}$

[11~20] 계산을 하시오.

11 $\dfrac{1}{3} \times \dfrac{1}{3}$

12 $\dfrac{6}{7} \times \dfrac{1}{2}$

13 $\dfrac{1}{9} \times \dfrac{3}{11}$

14 $\dfrac{4}{27} \times \dfrac{9}{10}$

15 $\dfrac{13}{20} \times \dfrac{5}{6}$

16 $\dfrac{5}{6} \times 2\dfrac{2}{3}$

17 $3\dfrac{3}{14} \times \dfrac{7}{9}$

18 $3\dfrac{7}{8} \times 1\dfrac{1}{2}$

19 $2\dfrac{2}{3} \times 4\dfrac{5}{8}$

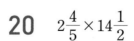

대분수를 가분수로
바꾼 후 계산해요.

20 $2\dfrac{4}{5} \times 14\dfrac{1}{2}$

11 도형의 합동 알아보기

○ 도형의 합동 알아보기

모양과 ❶ [　　] 가 같아서 포개었을 때 완전히 겹치는 두 도형을
서로 합동이라고 합니다.

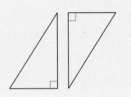

 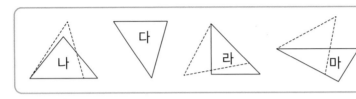

➡ 도형 가와 포개었을 때
완전히 겹치는 도형은
❷ [　] 입니다.

○ 직사각형 모양의 색종이를 잘라서 서로 합동인 도형 만들기

예 서로 합동인 사각형 2개 만들기

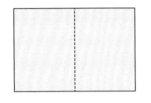 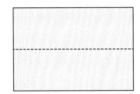 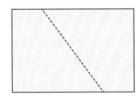

예 서로 합동인 삼각형 4개 만들기

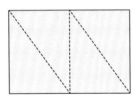 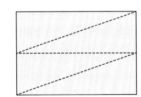 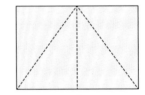

[답] ❶ 크기 ❷ 다

핵심체크

1 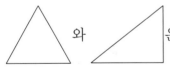 와 은 서로 합동입니다. (○ , ×)

2 도형을 뒤집거나 돌려서 완전히 겹치는 두 도형은 서로 합동입니다. (○ , ×)

12 합동인 도형의 성질 알아보기

◎ 서로 합동인 두 도형에서 대응점, 대응변, 대응각 알아보기

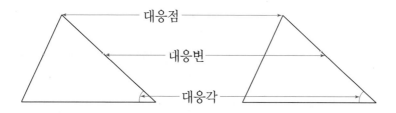

서로 합동인 두 도형을 포개었을 때 완전히 겹치는 점을 대응점, 겹치는 변을 대응변, 겹치는 각을 ❶⬚이라고 합니다.

◎ 합동인 도형의 성질

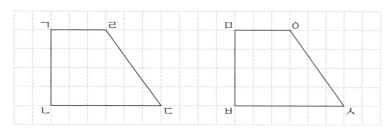

성질1 합동인 도형에서 각각의 대응변의 길이가 서로 같습니다.

(변 ㄱㄴ)＝(변 ㅁㅂ), (변 ㄴㄷ)＝(변 ㅂㅅ), (변 ㄷㄹ)＝(변 ㅅㅇ), (변 ㄱㄹ)＝(변 ❷⬚)

성질2 합동인 도형에서 각각의 대응각의 크기가 서로 같습니다.

(각 ㄱㄴㄷ)＝(각 ㅁㅂㅅ), (각 ㄴㄷㄹ)＝(각 ㅂㅅㅇ),

(각 ㄷㄹㄱ)＝(각 ㅅㅇㅁ), (각 ㄹㄱㄴ)＝(각 ❸⬚)

[답] ❶ 대응각 ❷ ㅁㅇ ❸ ㅇㅁㅂ

핵심체크

1

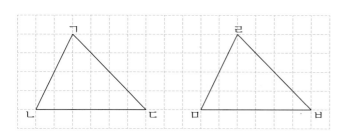

두 삼각형은 서로 합동입니다.
점 ㄱ의 대응점은 (점 ㄹ , 점 ㅁ , 점 ㅂ)입니다.

13 선대칭도형과 그 성질 알아보기 (1)

⊙ 선대칭도형 알아보기

한 직선을 따라 접어서 완전히 겹치는 도형을
❶ [   ]도형이라고 합니다.

이때 그 직선을 대칭축이라고 합니다.

┌ 대응점: 대칭축을 따라 포개었을 때 겹치는 점
├ 대응변: 대칭축을 따라 포개었을 때 겹치는 변
└ 대응각: 대칭축을 따라 포개었을 때 겹치는 각

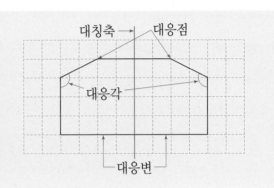

⊙ 선대칭도형의 성질

① 각각의 대응변의 길이가 서로 같습니다.

(변 ㄱㄴ)=(변 ㅂㅁ), (변 ㄴㄷ)=(변 ㅁㄹ),

(변 ㄷㅇ)=(변 ㄹㅇ), (변 ㄱㅅ)=(변 ❷[   ])

② 각각의 대응각의 크기가 서로 같습니다.

(각 ㅅㄱㄴ)=(각 ㅅㅂㅁ), (각 ㄱㄴㄷ)=(각 ㅂㅁㄹ),

(각 ㄴㄷㅇ)=(각 ❸[   ])

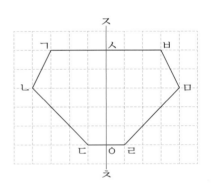

[답] ❶ 선대칭 ❷ ㅂㅅ ❸ ㅁㄹㅇ

핵심 체크

1 대칭축을 따라 포개었을 때 겹치는 변을 (대응점 , 대응변 , 대응각)이라고 합니다.

2 선대칭도형에서 각각의 대응각의 크기가 서로 (같습니다 , 다릅니다).

14 선대칭도형과 그 성질 알아보기 (2)

○ **선대칭도형의 대응점끼리 이은 선분과 대칭축 사이의 관계**

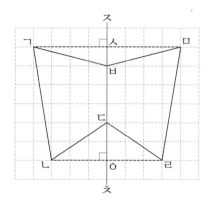

① 대응점끼리 이은 선분은 대칭축과 ❶ [   ]으로 만납니다.

➡ 선분 ㄱㅁ, 선분 ㄴㄹ이 대칭축과 만나서 이루는 각은 90°입니다.

② 각각의 대응점에서 대칭축까지의 거리가 서로 같습니다.

➡ (선분 ㄱㅅ)=(선분 ㅁㅅ), (선분 ㄴㅇ)=(선분 ㄹㅇ)

③ 대칭축은 대응점끼리 이은 선분을 둘로 똑같이 나눕니다.

○ **선대칭도형 그리기**

① 점 ㄴ에서 대칭축 ㅁㅂ에 수선을 긋고, 대칭축과 만나는 점을 찾아 점 ㅅ으로 표시합니다.

② 이 수선에 선분 ㄴㅅ과 길이가 같은 선분 ㅇㅅ이 되도록 점 ㄴ의 대응점을 찾아 점 ㅇ으로 표시합니다.

③ 위와 같은 방법으로 점 ㄷ의 대응점을 찾아 점 ❷ [   ]으로 표시합니다.

④ 점 ㄹ과 점 ㅈ, 점 ㅈ과 점 ㅇ, 점 ㅇ과 점 ㄱ을 차례로 이어 선대칭도형이 되도록 그립니다.

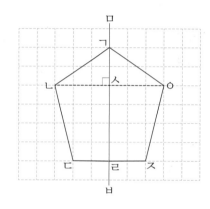

[답] ❶ 수직 ❷ ㅈ

핵심체크

1 선대칭도형을 그릴 때에는 대응점끼리 이은 선분이 대칭축과 (90°, 180°)로 만난다는 성질을 이용합니다.

대응점끼리 이은 선분은 대칭축과 수직으로 만나요.

2 선대칭도형의 대칭축은 대응점끼리 이은 선분을 (둘 , 셋)(으)로 똑같이 나눕니다.

15 점대칭도형과 그 성질 알아보기 (1)

● 점대칭도형 알아보기

한 도형을 어떤 점을 중심으로 [❶   ] 돌렸을 때

처음 도형과 완전히 겹치면 이 도형을 점대칭도형이라고 합니다.

이때 그 점을 대칭의 중심이라고 합니다.

┌ 대응점: 대칭의 중심을 중심으로 180° 돌렸을 때 겹치는 점
├ 대응변: 대칭의 중심을 중심으로 180° 돌렸을 때 겹치는 변
└ 대응각: 대칭의 중심을 중심으로 180° 돌렸을 때 겹치는 각

대칭의 중심

● 점대칭도형의 성질

① 각각의 대응변의 길이가 서로 같습니다.

(변 ㄱㄴ)=(변 ㄷㄹ), (변 ㄴㄷ)=(변 [❷   ])

② 각각의 대응각의 크기가 서로 같습니다.

(각 ㄱㄴㄷ)=(각 ㄷㄹㄱ), (각 ㄹㄱㄴ)=(각 [❸   ])

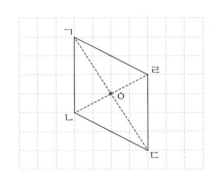

[답] ❶ 180° **❷** ㄹㄱ **❸** ㄴㄷㄹ

핵심체크

1 점대칭도형에서 각각의 대응변의 길이가 서로 (같습니다 , 다릅니다).

점대칭도형은
어떤 점을 중심으로 180°
돌렸을 때 처음 도형과
완전히 겹치는
도형이에요.

2 점대칭도형에서 각각의 대응각의 크기가 서로 (같습니다 , 다릅니다).

16 점대칭도형과 그 성질 알아보기 (2)

● 점대칭도형의 대응점끼리 이은 선분과 대칭의 중심 사이의 관계

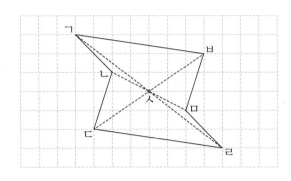

① 각각의 대응점에서 대칭의 중심까지의 거리가 서로 같습니다.

➡ (선분 ㄱㅅ)=(선분 ㄹㅅ), (선분 ㄴㅅ)=(선분 ㅁㅅ), (선분 ㄷㅅ)=(선분 ㅂㅅ)

② 대칭의 **❶** 은 대응점끼리 이은 선분을 둘로 똑같이 나눕니다.

● 점대칭도형 그리기

① 점 ㄱ에서 대칭의 중심인 점 ㅅ을 지나는 직선을 긋습니다.

② 이 직선에 선분 ㄱㅅ과 길이가 같은 선분 ㄹㅅ이 되도록 점 ㄱ의 대응점을 찾아 점 ㄹ로 표시합니다.

③ 위와 같은 방법으로 점 ㄴ의 대응점을 찾아 점 ㅁ으로 표시합니다.

④ 점 ㄷ의 대응점은 점 **❷** 입니다.

⑤ 점 ㄹ과 점 ㅁ, 점 ㅁ과 점 ㅂ, 점 ㅂ과 점 ㄱ을 차례로 이어 점대칭도형이 되도록 그립니다.

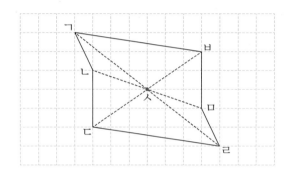

[답] ❶ 중심 ❷ ㅂ

핵심 체크

1 점대칭도형을 그릴 때에는 대응점끼리 이은 선분이 (대칭축 , 대칭의 중심)에서 만난다는 성질을 이용합니다.

2 점대칭도형을 그릴 때에는 대칭의 중심이 대응점끼리 이은 선분을 (둘 , 셋)(으)로 똑같이 나눈다는 성질을 이용합니다.

집중 연습

[01~05] 왼쪽 도형과 서로 합동인 도형을 찾아 ○표 하시오.

01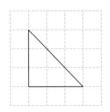

(   ) (   ) (   )

02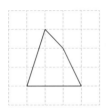

(   ) (   ) (   )

03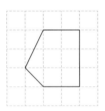

(   ) (   ) (   )

04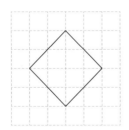

(   ) (   ) (   )

05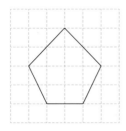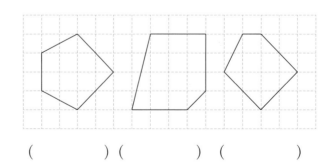

(   ) (   ) (   )

[06~10] 선대칭도형이면 ○표, 아니면 ×표 하시오.

06

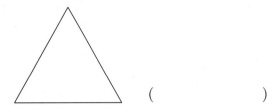

(   )

07

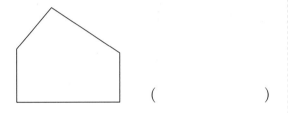

(   )

08

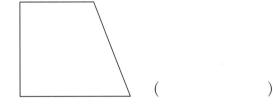

(   )

09

(   )

10

(   )

[11~15] 점대칭도형이면 ○표, 아니면 ×표 하시오.

11

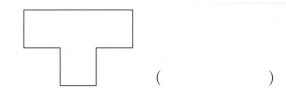

(   )

12

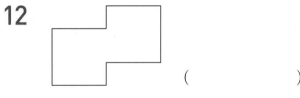

(   )

13

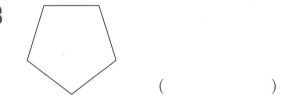

(   )

14

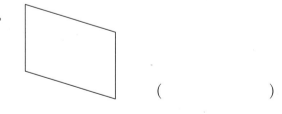

(   )

15

(   )

17 (1보다 작은 소수) × (자연수)

● 0.6 × 3의 계산

방법1 덧셈식으로 계산하기

$$0.6 \times 3 = \underbrace{0.6 + 0.6 + 0.6}_{3번} = ❶ \boxed{}$$

소수 한 자리 수는 분모가 10인 분수로 나타낼 수 있어요.

방법2 분수의 곱셈으로 계산하기

$$0.6 \times 3 = \underset{\text{소수를 분수로 나타냅니다.}}{\frac{6}{10}} \times 3 = \frac{6 \times 3}{10} = \underset{\text{분수를 소수로 나타냅니다.}}{\frac{18}{10}} = 1.8$$

방법3 0.1의 개수로 계산하기

$$0.6 \times 3 = 0.1 \times 6 \times 3 = 0.1 \times 18$$

➡ 0.1이 모두 ❷ $\boxed{}$ 개이므로 0.6 × 3 = 1.8입니다.

● 0.34 × 2의 계산

소수 두 자리 수는 분모가 100인 분수로 나타낼 수 있어요.

방법1 $0.34 \times 2 = \underbrace{0.34 + 0.34}_{2번} = 0.68$

방법2 $0.34 \times 2 = \frac{34}{100} \times 2 = \frac{34 \times 2}{100} = \frac{68}{100} = ❸ \boxed{}$

방법3 $0.34 \times 2 = 0.01 \times 34 \times 2 = 0.01 \times 68$

➡ 0.01이 모두 68개이므로 0.34 × 2 = 0.68입니다.

[답] ❶ 1.8   ❷ 18   ❸ 0.68

핵심체크

1   0.3 × 5는 0.1이 모두 (8 , 15)개이므로 (0.8 , 1.5)입니다.

2   0.2 × 7을 분수의 곱셈으로 계산하려고 할 때, 0.2를 $\left(\dfrac{2}{100} , \dfrac{2}{10} \right)$로 나타낸 다음 계산합니다.

18 (1보다 큰 소수) × (자연수)

○ 1.3 × 4의 계산

방법1 덧셈식으로 계산하기

$$1.3 \times 4 = \underbrace{1.3 + 1.3 + 1.3 + 1.3}_{4번} = \boxed{❶}$$

방법2 분수의 곱셈으로 계산하기

$$1.3 \times 4 = \frac{13}{10} \times 4 = \frac{13 \times 4}{10} = \frac{52}{10} = 5.2$$

소수를 분수로 나타냅니다.　　약분하지 않아야 소수로
　　　　　　　　　　　　　　　나타내기 편리합니다.

방법3 0.1의 개수로 계산하기

$$1.3 \times 4 = 0.1 \times 13 \times 4 = 0.1 \times \boxed{❷}$$

➡ 0.1이 모두 52개이므로 1.3 × 4 = 5.2입니다.

방법4 소수를 자연수와 소수의 합으로 나타내어 계산하기

1.3 = 1 + 0.3이므로

$$1.3 \times 4 = (1 \times 4) + (0.3 \times 4) = 4 + 1.2 = \boxed{❸} 입니다.$$

$$1.57 \times 2 = \frac{157}{100} \times 2$$
$$= \frac{314}{100} = 3.14$$

$$1.57 \times 2 = 0.01 \times 157 \times 2$$
$$= 0.01 \times 314$$
0.01이 모두 314개이므로
$$1.57 \times 2 = 3.14예요.$$

[답] ❶ 5.2　❷ 52　❸ 5.2

핵심체크

1 4.5 × 3은 4.5를 (3 , 4)번 더한 것과 같으므로 (13.5 , 18)입니다.

2 3.71 × 4를 분수의 곱셈으로 계산하려고 할 때, 3.71을 $\left(\dfrac{371}{100} , \dfrac{371}{10} \right)$로 나타낸 다음 계산합니다.

19 (자연수) × (1보다 작은 소수)

○ 2 × 0.7의 계산

방법1 그림으로 계산하기

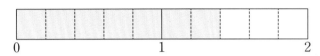

0   1   2

2 × 0.7은 2를 10등분한 것 중 7칸입니다. 한 칸의 크기는 2의 0.1, 2의 $\frac{1}{10}$입니다.

일곱 칸의 크기는 2의 0.7, 2의 $\frac{7}{10}$이므로 $\frac{14}{10}$가 되어 ❶[   ]입니다.

방법2 분수의 곱셈으로 계산하기

$$2 \times 0.7 = 2 \times \frac{7}{10} = \frac{2 \times 7}{10} = \frac{14}{10} = ❷[\quad]$$

방법3 자연수의 곱셈으로 계산하기

$2 \times\ 7\ = 14$

$\frac{1}{10}$배 $\frac{1}{10}$배   곱하는 수가 $\frac{1}{10}$배가 되면 계산 결과도 ❸[   ]배가 됩니다.

$2 \times 0.7 = 1.4$

[답] ❶ 1.4 ❷ 1.4 ❸ $\frac{1}{10}$

핵심체크

1 곱하는 수가 $\frac{1}{10}$배가 되면 계산 결과도 (10 , $\frac{1}{10}$)배가 됩니다.

0.28은 28의 $\frac{1}{100}$배예요.

2 $7 \times 28 = 196$이므로 $7 \times 0.28 =$ (1.96 , 19.6)입니다.

20 (자연수) × (1보다 큰 소수)

● 5×1.5의 계산

방법1 그림으로 계산하기

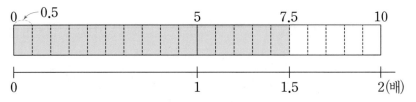

5의 1배는 5이고, 5의 0.5배는 2.5이므로 5의 1.5배는 7.5입니다.

방법2 분수의 곱셈으로 계산하기

$$5 \times 1.5 = 5 \times \frac{15}{10} = \frac{5 \times 15}{10} = \frac{75}{10} = \boxed{❶}$$

방법3 자연수의 곱셈으로 계산하기

$$5 \times 15 = 75$$

$\left|\frac{1}{10}배 \right. \left|\frac{1}{10}배 \right.$　　곱하는 수가 $\frac{1}{10}$배가 되면 계산 결과도 $\boxed{❷}$배가 됩니다.

$$5 \times 1.5 = 7.5$$

방법4 소수를 자연수와 소수의 합으로 나타내어 계산하기

1.5 = 1 + 0.5이므로

$$5 \times 1.5 = (5 \times 1) + (5 \times 0.5) = 5 + 2.5 = \boxed{❸}$$입니다.

[답] ❶ 7.5 ❷ $\frac{1}{10}$ ❸ 7.5

핵심 체크

1 6×2.1의 계산에서 6의 2배는 12이고, 6의 0.1배는 0.6이므로 6의 2.1배는 (1.8 , 12.6)입니다.

2 11×1.9의 계산에서 1.9를 1과 0.9의 (합 , 차)(으)로 나타내어 계산합니다.

21 (1보다 작은 소수)×(1보다 작은 소수)

○ 0.4×0.9의 계산

방법1 그림으로 계산하기

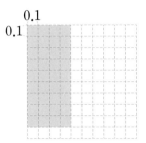

모눈종이의 가로를 0.4만큼 색칠하고, 세로를 0.9만큼 색칠하면 36칸이 색칠됩니다.

한 칸의 넓이가 0.01이므로 색칠한 부분의 넓이는 **❶**□입니다.

방법2 분수의 곱셈으로 계산하기

$$0.4 \times 0.9 = \frac{4}{10} \times \frac{9}{10} = \frac{36}{100} = \boxed{❷}$$

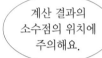

방법3 자연수의 곱셈으로 계산하기

$$4 \times 9 = 36$$

$\frac{1}{10}$배 $\frac{1}{10}$배 $\frac{1}{100}$배

$$0.4 \times 0.9 = 0.36$$

계산 결과의 소수점의 위치에 주의해요.

방법4 소수의 크기를 생각하여 계산하기

4×9=36인데 0.4에 0.9를 곱하면 0.4보다 작은 값이 나와야 하므로 계산 결과는 **❸**□입니다.

[답] ❶ 0.36 ❷ 0.36 ❸ 0.36

핵심체크

1 7×3=21이므로 0.7×0.3=(0.21 , 2.1)입니다.

2 83×4=332인데 0.83에 0.4를 곱하면 0.83보다 작은 값이 나와야 하므로 계산 결과는 (3.32 , 0.332)입니다.

22 (1보다 큰 소수)×(1보다 작은 소수), (1보다 작은 소수)×(1보다 큰 소수)

● 1.3×0.7의 계산

방법1 분수의 곱셈으로 계산하기

$$1.3 \times 0.7 = \frac{13}{10} \times \frac{7}{10} = \frac{91}{100} = ❶ \boxed{}$$

방법2 자연수의 곱셈으로 계산하기

$$13 \times 7 = 91$$

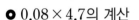

$$1.3 \times 0.7 = 0.91$$

곱해지는 수와 곱하는 수가 각각 $\frac{1}{10}$배, $\frac{1}{10}$배가 되면 계산 결과는 $\frac{1}{100}$배가 돼요.

● 0.08×4.7의 계산

방법1 분수의 곱셈으로 계산하기

$$0.08 \times 4.7 = \frac{8}{100} \times \frac{47}{10} = \frac{376}{1000} = ❷ \boxed{}$$

방법2 자연수의 곱셈으로 계산하기

$$8 \times 47 = 376$$

$$\frac{1}{100}배 \quad \frac{1}{10}배 \quad \frac{1}{1000}배$$

$$0.08 \times 4.7 = 0.376$$

[답] ❶ 0.91 ❷ 0.376

핵심 체크

1 곱해지는 수가 $\frac{1}{10}$배, 곱하는 수가 $\frac{1}{100}$배가 되면 계산 결과는 $\left(\frac{1}{100} , \frac{1}{1000} \right)$배가 됩니다.

2 0.08과 3.5의 곱은 분수의 곱셈으로 계산할 때 $\left(\frac{8}{100} , \frac{8}{10} \right)$과 $\left(\frac{35}{100} , \frac{35}{10} \right)$로 나타내어 계산할 수 있습니다.

23 (1보다 큰 소수) × (1보다 큰 소수)

● 1.5 × 1.6의 계산

방법1 그림으로 알아보기

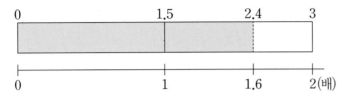

⇨ 1.5의 1배는 1.5이고 1.5의 0.6배는 0.9이므로 1.5의 1.6배는 1.5 + 0.9 = ❶□ 입니다.

방법2 분수의 곱셈으로 계산하기

$$1.5 \times 1.6 = \frac{15}{10} \times \frac{16}{10} = \frac{240}{100} = ❷\square$$

방법3 자연수의 곱셈으로 계산하기

$$15 \times 16 = 240$$

$\frac{1}{10}$배 $\frac{1}{10}$배 $\frac{1}{100}$배

$$1.5 \times 1.6 = 2.4$$

방법4 소수의 크기를 생각하여 계산하기

15 × 16 = 240인데 1.5에 1.6을 곱하면 1.5의 1배인 1.5보다 커야 하므로 ❸□ 입니다.

[답] ❶ 2.4   ❷ 2.4   ❸ 2.4

핵심체크

1 2.4와 1.3의 곱은 분수의 곱셈으로 계산할 때 $\left(\frac{24}{100} , \frac{24}{10} \right)$와 $\left(\frac{13}{100} , \frac{13}{10} \right)$으로 나타내어 계산할 수 있습니다.

2 12 × 43 = 516인데 1.2에 4.3을 곱하면 4보다 조금 큰 값이 나와야 하므로 계산 결과는 (5.16 , 51.6)입니다.

어떤 수에 1보다 큰 수를 곱하면 어떤 수보다 큰 값이 나와요.

24 곱의 소수점 위치

⊙ 자연수와 소수의 곱셈에서 곱의 소수점 위치

(1) (소수)×10, 100, 1000

$5.31 \times 1 = 5.31$

$5.31 \times 10 = 53.1$

$5.31 \times 100 = 531$

$5.31 \times 1000 = 5310$

> 곱하는 수의 0이 하나씩 늘어날 때마다
> 곱의 소수점이 ❶ ▢ 쪽으로 한 칸씩 옮겨집니다.

(2) (자연수)×0.1, 0.01, 0.001

$7092 \times 1 = 7092$

$7092 \times 0.1 = 709.2$

$7092 \times 0.01 = 70.92$

$7092 \times 0.001 = 7.092$

> 곱하는 소수의 소수점 아래 자리 수가 하나씩 늘어날 때마다
> 곱의 소수점이 ❷ ▢ 쪽으로 한 칸씩 옮겨집니다.

⊙ 소수끼리의 곱셈에서 곱의 소수점 위치

$8 \times 6 = 48$

$\underset{\substack{\text{소수} \\ \text{한 자리 수}}}{0.8} \times \underset{\substack{\text{소수} \\ \text{한 자리 수}}}{0.6} = \underset{\substack{\text{소수} \\ \text{두 자리 수}}}{0.48}$

$\underset{\substack{\text{소수} \\ \text{한 자리 수}}}{0.8} \times \underset{\substack{\text{소수} \\ \text{두 자리 수}}}{0.06} = \underset{\substack{\text{소수} \\ \text{세 자리 수}}}{0.048}$

$\underset{\substack{\text{소수} \\ \text{두 자리 수}}}{0.08} \times \underset{\substack{\text{소수} \\ \text{두 자리 수}}}{0.06} = \underset{\substack{\text{소수} \\ \text{네 자리 수}}}{0.0048}$

> 자연수끼리 계산한 결과에 곱하는 두 수의 소수점 아래 자리 수를
> 더한 것만큼 소수점을 ❸ ▢ 쪽으로 옮겨 표시합니다.

[답] ❶ 오른 ❷ 왼 ❸ 왼

핵심 체크

1 소수에 10, 100, 1000을 곱하면 곱의 소수점이 (왼쪽 , 오른쪽)으로 옮겨집니다.

2 자연수에 0.1, 0.01, 0.001을 곱하면 곱의 소수점이 (왼쪽 , 오른쪽)으로 옮겨집니다.

집중 연습

[01~10] 계산을 하시오.

01
$$\begin{array}{r} 0.4\ 7 \\ \times\qquad 6 \\ \hline \end{array}$$

02
$$\begin{array}{r} 2.8 \\ \times\quad 4 \\ \hline \end{array}$$

03
$$\begin{array}{r} 3.1\ 1 \\ \times\qquad 3 \\ \hline \end{array}$$

04
$$\begin{array}{r} 9 \\ \times\ 0.6\ 5 \\ \hline \end{array}$$

05
$$\begin{array}{r} 7 \\ \times\ 4.3 \\ \hline \end{array}$$

06
$$\begin{array}{r} 0.0\ 9 \\ \times\quad 0.5 \\ \hline \end{array}$$

07
$$\begin{array}{r} 0.1\ 6 \\ \times 0.2\ 7 \\ \hline \end{array}$$

08
$$\begin{array}{r} 7.3 \\ \times 5.5 \\ \hline \end{array}$$

09
$$\begin{array}{r} 9.4 \\ \times 6.1\ 6 \\ \hline \end{array}$$

10
$$\begin{array}{r} 3.5\ 2 \\ \times 1.0\ 8 \\ \hline \end{array}$$

[11~20] 계산을 하시오.

11 0.3×7

12 5.5×9

13 1.32×6

14 12×0.8

15 5×0.81

16 6×1.9

17 0.2×0.7

18 0.36×0.4

19 2.4×5.1

20 6.73×2.87

25 직육면체 알아보기

○ 직육면체 알아보기

오른쪽 그림과 같이 직사각형 ❶ [　　]개로 둘러싸인 도형을
직육면체라고 합니다.

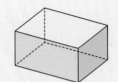

- 면: 선분으로 둘러싸인 부분
- 모서리: 면과 면이 만나는 선분
- 꼭짓점: 모서리와 모서리가 만나는 점

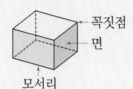

○ 정육면체 알아보기

오른쪽 그림과 같이 ❷ [　　　　] 6개로 둘러싸인 도형을
정육면체라고 합니다.

○ 직육면체와 정육면체의 특징

	면의 모양	면의 수(개)	모서리의 수(개)	꼭짓점의 수(개)
직육면체	직사각형	6	12	8
정육면체	정사각형	6	12	

[답] ❶ 6　❷ 정사각형　❸ 8

핵심체크

1 직육면체는 (직사각형 , 직각삼각형) 6개로 둘러싸인 도형입니다.

2 직육면체에서 모서리와 모서리가 만나는 점을 (면 , 꼭짓점)이라고 합니다.

26 직육면체의 성질 알아보기

○ **서로 마주 보고 있는 면의 관계 알아보기**

그림과 같이 직육면체에서 색칠한 두 면처럼 계속 늘여도 만나지 않는 두 면을 서로 평행하다고 합니다.
이 두 면을 직육면체의 밑면이라고 합니다.

직육면체에는 평행한 면이 **❶**⬚쌍 있고 이 평행한 면은 각각 밑면이 될 수 있습니다.

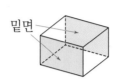 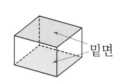

○ **서로 만나는 두 면 사이의 관계 알아보기**

삼각자 3개를 오른쪽과 같이 놓았을 때 면 ㄱㄴㄷㄹ과 면 ㄷㅅㅇㄹ은
수직입니다.

직육면체에서 밑면과 **❷**⬚인 면을 직육면체의 옆면이라고 합니다.

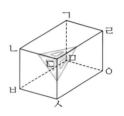

• 직육면체에서 한 면과 만나는 면은 **❸**⬚개입니다.
• 직육면체에서 서로 만나는 두 면은 수직으로 만납니다.

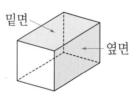

[답] ❶ 3 ❷ 수직 ❸ 4

핵심 체크

1 직육면체에서 서로 마주 보고 있는 면은 서로 (평행합니다 , 수직입니다).

2 직육면체에서 밑면과 (평행한 , 수직인) 면을 직육면체의 옆면이라고 합니다.

27 직육면체의 겨냥도 알아보기

○ 직육면체 관찰하기

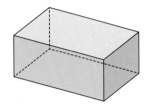

면의 수(개)		모서리의 수(개)		꼭짓점의 수(개)	
보이는 면	보이지 않는 면	보이는 모서리	보이지 않는 모서리	보이는 꼭짓점	보이지 않는 꼭짓점
3	3	9	3	7	❶

○ 직육면체의 겨냥도 알아보기

오른쪽과 같이 직육면체의 모양을 잘 알 수 있도록
나타낸 그림을 직육면체의 겨냥도라고 합니다.

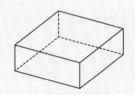

○ 직육면체의 겨냥도 그리기

① 보이는 모서리는 ❷ 선으로 그립니다.

② 보이지 않는 모서리는 ❸ 선으로 그립니다.

참고

└ 보이지 않는 꼭짓점

마주 보는 모서리는 평행하게 그립니다.
보이지 않는 모서리 3개는 보이지 않는 꼭짓점에서 만납니다.

[답] ❶ 1 ❷ 실 ❸ 점

핵심체크

1 겨냥도에서 보이는 모서리는 (점선 , 실선)으로, 보이지 않는 모서리는 (점선 , 실선)으로 그립니다.

2 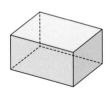 직육면체에서 보이는 모서리는 (3 , 9 , 7)개입니다.

28 정육면체와 직육면체의 전개도 알아보기

● 정육면체의 전개도

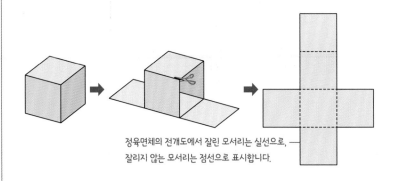

정육면체의 전개에서 잘린 모서리는 실선으로,
잘리지 않는 모서리는 점선으로 표시합니다.

정육면체의 ❶[   ]를 잘라서 펼친
그림을 정육면체의 전개도라고 합니다.

● 직육면체의 전개도

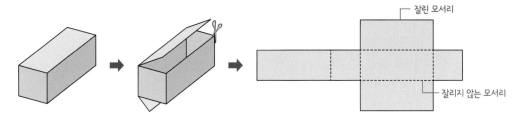

잘린 모서리

잘리지 않는 모서리

● 정육면체의 전개도 살펴보기

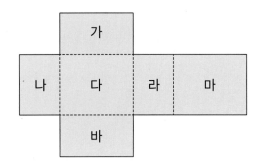

전개도를 접었을 때
① 면 **다**와 평행한 면은 면 ❷[   ]입니다.
② 면 **나**와 수직인 면은 면 **가**, 면 **다**, 면 **마**, 면 **바**입니다.
③ 한 꼭짓점에서 만나는 모서리는 모두 3개입니다.
④ 한 꼭짓점에서 만나는 면은 모두 3개입니다.

● 직육면체의 전개도 그리기

① 잘리지 않는 모서리는 점선, 잘린 모서리는 실선으로 그립니다.
② 전개도를 접었을 때 서로 마주 보는 면은 모양과 크기가 같게 그립니다.
③ 전개도를 접었을 때 서로 겹치는 선분의 길이는 ❸[   ] 그립니다.

[답] ❶ 모서리 ❷ 마 ❸ 같게

핵심 체크

1 정육면체의 전개도를 그릴 때 잘리지 않는 모서리는 (점선 , 실선)으로, 잘린 모서리는 (점선 , 실선)으로 그립니다.

[01~10] 정육면체인 도형은 '정', 직육면체인 도형은 '직', 직육면체도 정육면체도 아닌 도형은 ✕표 하시오.

01

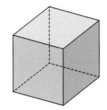

(   )

02

(   )

03

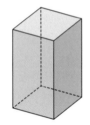

(   )

04

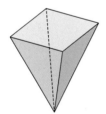

(   )

05

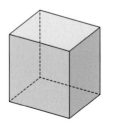

(   )

06

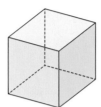

(   )

07

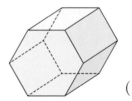

(   )

08

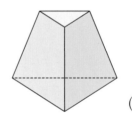

(   )

09

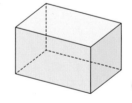

(   )

10

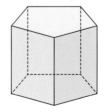

(   )

[11~15] 직육면체의 겨냥도를 바르게 그린 것에 ○표, 아닌 것에 × 표 하시오.

11

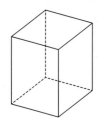

(   )

12

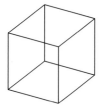

(   )

13

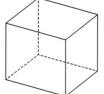

(   )

14

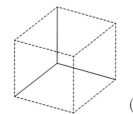

(   )

15

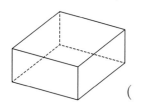

(   )

[16~19] 직육면체의 전개도로 바른 것에 ○표, 틀린 것에 × 표 하시오.

16

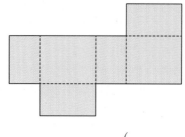

(   )

17

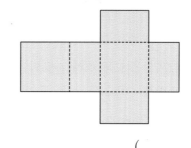

(   )

18

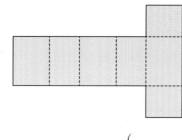

(   )

19

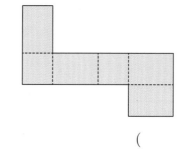

(   )

29 평균 알아보기

● 평균 알아보기

평균: 자료의 값을 모두 더해 자료의 **❶** 로 나눈 값

$$(평균)＝(자료의 값을 모두 더한 수)÷(자료의 수)$$
$$＝\frac{(자료의 값을 모두 더한 수)}{(자료의 수)}$$

예 민호네 학교 5학년 학생 수의 평균 구하기

은지네 학교 5학년 반별 학생 수

반	1반	2반	3반	4반	5반
학생 수(명)	26	24	25	26	24

방법1 각 반의 학생 수 고르게 하기

각 반의 학생 수를 고르게 하면 25, 25, 25, 25, 25이므로 학생 수의 평균은 **❷** 명입니다.

방법2 각 자료의 값을 모두 더해 자료의 수로 나누기

각 반의 학생 수를 모두 더한 후 반의 수 5로 나누면

$(26＋24＋25＋26＋24)÷5＝125÷5＝$ **❸** $(명)$이 되므로 학생 수의 평균은 25명입니다.

[답] ❶ 수 ❷ 25 ❸ 25

핵심 체크

1 자료의 값을 모두 더해 자료의 수로 나눈 값을 (합계 , 평균)(이)라고 합니다.

2 세 사람의 몸무게 41 kg, 46 kg, 39 kg의 평균을 구하려면 41＋46＋39를 (2 , 3)(으)로 나눕니다.

30 평균 구하기

● 여러 가지 방법으로 평균 구하기

예 태인이가 4개월 동안 읽은 책 수의 평균 구하기

태인이가 읽은 책 수

월	1	2	3	4
읽은 책 수(권)	8	4	5	7

방법1 각 자료의 값을 고르게 하여 평균 구하기

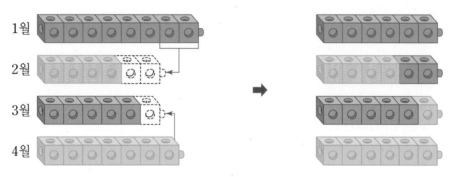

평균을 6으로 예상하면 6, 6, 6, 6으로 나타낼 수 있으므로 태인이가 읽은 책 수의 평균은 ❶ ⬚ 권

입니다.

방법2 자료의 값을 모두 더해 자료의 수로 나누어 평균 구하기

(태인이가 읽은 책 수의 평균)

$= (8+4+5+7) \div 4 = 24 \div 4 =$ ❷ ⬚ (권)

[답] ❶ 6 ❷ 6

핵심체크

1 평균을 구할 때 각각의 수를 모형으로 나타낸 후 도형의 수가 고르게 되도록 모형을 옮겨 구할 수 있습니다. (○ , ×)

2 평균을 구할 때 자료의 값을 모두 (더해 , 곱해) 자료의 수로 (곱해 , 나누어) 구합니다.

31 평균 이용하기

● 평균 비교하기

모둠 친구 수와 과녁 맞히기 점수

모둠	모둠 1	모둠 2	모둠 3
모둠 친구 수(명)	4	6	5
과녁 맞히기 점수의 합(점)	32	42	30

(모둠 1의 과녁 맞히기 점수의 평균)$=32 \div 4 = 8$(점)

(모둠 2의 과녁 맞히기 점수의 평균)$=42 \div 6 = 7$(점)

(모둠 3의 과녁 맞히기 점수의 평균)$=30 \div 5 = 6$(점)

➡ $8 > 7 > 6$이므로 모둠 ❶ [　] 이 과녁 맞히기를 가장 잘했다고 할 수 있습니다.

● 평균을 이용하여 문제 해결하기

(평균)$=$(자료의 값을 모두 더한 수)$\div$(자료의 수)

➡ (자료의 값을 모두 더한 수)$=$(❷ [　])$\times$(자료의 수)

예 재혁이네 가족 나이의 평균이 30살일 때 누나의 나이 구하기

재혁이네 가족의 나이

가족	아버지	어머니	누나	재혁
나이(살)	48	46		12

(네 명의 나이의 합)$=30 \times 4 = 120$(살)

➡ (누나의 나이)$=120-(48+46+12)$

$=120-106=14$(살)

[답] ❶ 1 ❷ 평균

핵심 체크

1 자료의 값을 모두 더한 수는 평균과 자료의 수의 (곱셈 , 나눗셈)으로 구합니다.

2 호재, 하늘, 승현이의 키의 평균이 150 cm일 때, 세 사람의 키의 합은 (150×3 , 150×4) cm입니다.

32 일이 일어날 가능성 알아보기

● 일이 일어날 가능성을 말로 표현하기

가능성은 어떠한 상황에서 특정한 일이 일어나길 기대할 수 있는 정도를 말합니다.

가능성의 정도는 ❶ [   ]하다, ~아닐 것 같다, 반반이다, ~일 것 같다, ❷ [   ]하다
등으로 표현할 수 있습니다.

예 주사위를 굴리면 주사위의 눈의 수가 1 이상 6 이하로 나올 것 같습니다. ➡ 확실하다

● 일이 일어날 가능성을 수로 표현하기

● 일이 일어날 가능성을 비교하기

예 회전판을 돌렸을 때 화살이 빨간색에 멈출 가능성 알아보기

회전판	⬤	⬤	⬤	⬤	⬤
가능성	불가능하다	~아닐 것 같다	❸ [ ]이다	~일 것 같다	확실하다

[답] ❶ 불가능 ❷ 확실 ❸ 반반

핵심체크

1 일이 일어날 가능성이 가장 높을 때 (확실하다 , 반반이다)라고 합니다.

2 일이 일어날 가능성이 불가능할 때 가능성을 (0 , 1)(으)로 표현할 수 있습니다.

집중 연습

[01~08] **표를 보고 평균을 구하시오.**

01
모둠별 학생 수

모둠	1	2	3	4	5
학생 수(명)	8	6	4	7	5

( )

02
요일별 독서 시간

요일	월	화	수	목	금
시간(분)	30	20	36	24	25

( )

03
과목별 점수

과목	국어	수학	사회	과학
점수(점)	85	90	72	73

( )

04
윗몸 말아 올리기 기록

이름	윤수	재희	상민	승환
기록(번)	28	30	26	32

( )

05
50 m 달리기 기록

이름	다영	성모	희서	한솔	지민	윤기
기록(초)	10	10	9	12	10	9

( )

06
모둠별 수행평가 점수

모둠	1	2	3	4	5	6
점수(점)	20	18	16	18	15	15

( )

07
가족의 몸무게

학생	아버지	어머니	나
몸무게(kg)	80	56	32

( )

08
요일별 줄넘기 횟수

요일	월	화	수	목	금
횟수(번)	42	51	40	33	39

( )

[09~12] 일이 일어날 가능성을 찾아 ○표 하시오.

09

> 주사위를 굴리면 주사위 눈의 수가 7보
> 다 작은 수가 나올 것입니다.

(확실하다   ,   불가능하다   )

10

> 동전을 던져 숫자 면이 나올 것입니다.

(반반이다   ,   ~일 것 같다   )

11

> 해가 쨍쨍하니까 비가 올 것입니다.

(~아닐 것 같다   ,   ~일 것 같다   )

12

> 내일 아침에 북쪽에서 해가 뜰 것입니다.

(확실하다   ,   불가능하다   )

[13~16] 일이 일어날 가능성을 수로 표현하시오.

13 ○×문제를 풀 때 ○가 정답일 가능성

(   )

14 검은색 바둑돌이 들어 있는 통에서 바둑돌
1개를 꺼낼 때, 꺼낸 바둑돌이 검은색일
가능성

(   )

15 주사위를 굴렸을 때 주사위의 눈의 수가
짝수일 가능성

(   )

16 오늘이 화요일일 때 내일이 목요일일 가능성

(   )

2쪽
1 이상에 ○표
2 이하에 ○표

3쪽
1 큰에 ○표
2 작은에 ○표

4쪽
1 이상에 ○표, 미만에 ○표
2 초과에 ○표, 이하에 ○표

5쪽
1 10에 ○표, 130에 ○표
2 0에 ○표, 300에 ○표

6쪽
01 10, 11, 12에 ○표
02 22, 23, 24에 ○표
03 9, 10, 11에 ○표
04 29, 30에 ○표
05 7, 8, 9, 10에 ○표
06 13, 14에 ○표
07 21, 22, 23에 ○표
08 15, 16, 17에 ○표
09 11, 20.3, 17에 ○표
10 35, 40, 38.2에 ○표

7쪽
11 180	16 2000
12 300	17 920
13 5000	18 100
14 200	19 6500
15 3550	20 4000

8쪽
1 자연수에 ○표
2 ○에 ○표

9쪽
1 가분수에 ○표
2 $1+\dfrac{1}{8}$에 ○표

10쪽
1 분자에 ○표
2 4에 ○표

11쪽
1 가분수에 ○표
2 ×에 ○표

12쪽
1 1에 ○표
2 분자에 ○표, 분모에 ○표

13쪽
1 곱합니다에 ○표
2 5×9에 ○표, 13×7에 ○표

14쪽
01 $\dfrac{5}{8}$	06 6
02 $2\dfrac{1}{2}$	07 16
03 $7\dfrac{7}{8}$	08 $15\dfrac{3}{4}$
04 $12\dfrac{3}{4}$	09 16
05 $14\dfrac{2}{3}$	10 $37\dfrac{1}{5}$

15쪽

11 $\dfrac{1}{9}$　　　16 $2\dfrac{2}{9}$

12 $\dfrac{3}{7}$　　　17 $2\dfrac{1}{2}$

13 $\dfrac{1}{33}$　　　18 $5\dfrac{13}{16}$

14 $\dfrac{2}{15}$　　　19 $12\dfrac{1}{3}$

15 $\dfrac{13}{24}$　　　20 $40\dfrac{3}{5}$

16쪽

1 ×에 ○표

2 ○에 ○표

17쪽

1 점 ㄹ에 ○표

18쪽

1 대응변에 ○표

2 같습니다에 ○표

19쪽

1 90°에 ○표

2 둘에 ○표

20쪽

1 같습니다에 ○표

2 같습니다에 ○표

21쪽

1 대칭의 중심에 ○표

2 둘에 ○표

22쪽

01 (　)(○)(　)

02 (　)(　)(○)

03 (　)(○)(　)

04 (　)(○)(　)

05 (○)(　)(　)

23쪽

06 ○　　　11 ×

07 ×　　　12 ○

08 ×　　　13 ×

09 ○　　　14 ○

10 ×　　　15 ○

24쪽

1 15에 ○표, 1.5에 ○표

2 $\dfrac{2}{10}$에 ○표

25쪽

1 3에 ○표, 13.5에 ○표

2 $\dfrac{371}{100}$에 ○표

26쪽

1 $\dfrac{1}{10}$에 ○표

2 1.96에 ○표

27쪽

1 12.6에 ○표

2 합에 ○표

28쪽

1 0.21에 ○표

2 0.332에 ○표

29쪽

1 $\dfrac{1}{1000}$에 ○표

2 $\dfrac{8}{100}$에 ○표, $\dfrac{35}{10}$에 ○표

30쪽

1 $\dfrac{24}{10}$에 ○표, $\dfrac{13}{10}$에 ○표

2 5.16에 ○표

31쪽
1 오른쪽에 ○표
2 왼쪽에 ○표

32쪽
01 2.82	06 0.045
02 11.2	07 0.0432
03 9.33	08 40.15
04 5.85	09 57.904
05 30.1	10 3.8016

33쪽
11 2.1	16 11.4
12 49.5	17 0.14
13 7.92	18 0.144
14 9.6	19 12.24
15 4.05	20 19.3151

34쪽
1 직사각형에 ○표
2 꼭짓점에 ○표

35쪽
1 평행합니다에 ○표
2 수직인에 ○표

36쪽
1 실선에 ○표, 점선에 ○표
2 9에 ○표

37쪽
1 점선에 ○표, 실선에 ○표

38쪽
01 정, 직	06 정, 직
02 ×	07 ×
03 직	08 ×
04 ×	09 직
05 직	10 ×

39쪽
11 ○	16 ○
12 ×	17 ○
13 ○	18 ×
14 ×	19 ○
15 ○	

40쪽
1 평균에 ○표
2 3에 ○표

41쪽
1 ○에 ○표
2 더해에 ○표, 나누어에 ○표

42쪽
1 곱셈에 ○표
2 150×3에 ○표

43쪽
1 확실하다에 ○표
2 0에 ○표

44쪽
01 6명	05 10초
02 27분	06 17점
03 80점	07 56 kg
04 29번	08 41번

45쪽
09 확실하다에 ○표
10 반반이다에 ○표
11 ~아닐 것 같다에 ○표
12 불가능하다에 ○표
13 $\frac{1}{2}$
14 1
15 $\frac{1}{2}$
16 0

우리 아이만
알고 싶은
상위권의
시작

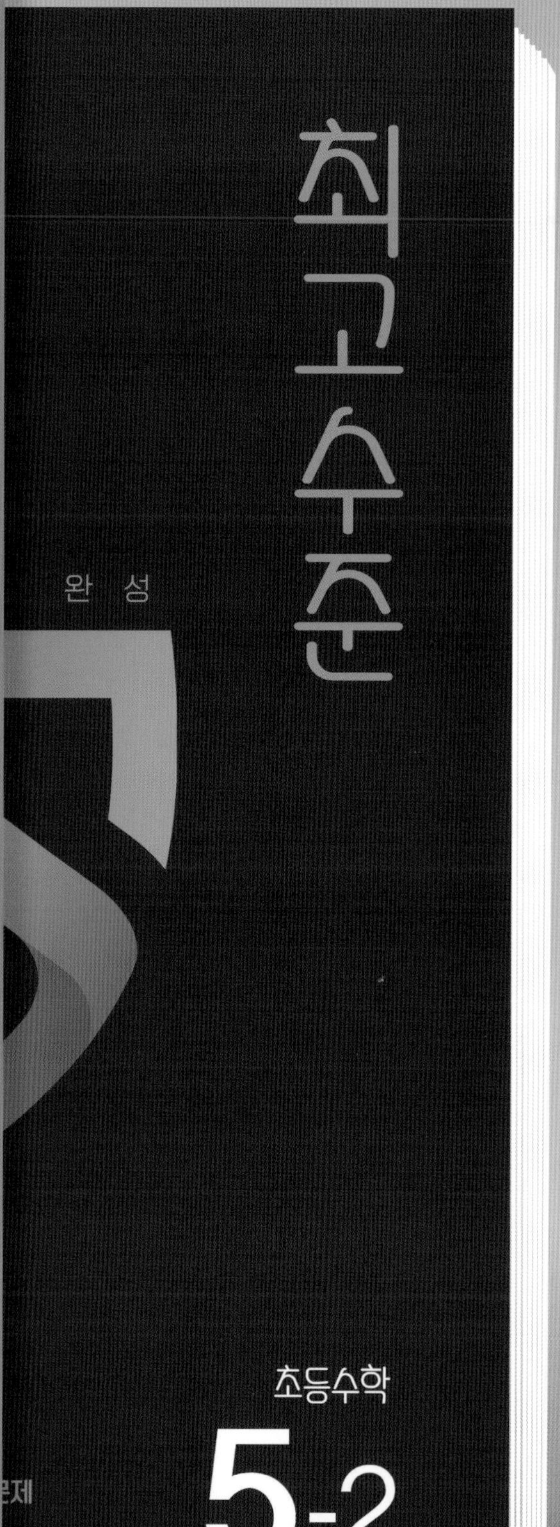

최고를
경험해 본 아이의 성취감은
학년이 오를수록
빛을 발합니다

* 1~6학년 / 학기 별 출시
동영상 강의 제공

최고수준

완성

초등수학

5-2

문제

핵심개념
유형연습
탄탄하게!

수학
전략

학교 시험, 걱정 없이 든든하게!

수학 단원평가

수행평가 완벽 대비

쪽지 시험, 단원평가, 서술형 평가 등
학교에서 시행하는 다양한 수행평가에
완벽 대비 가능한 최신 경향의 문제 수록

난이도별 문제 수록

A, B, C 세 단계 난이도의 단원평가로
나의 수준에 맞게 실력을 점검하고
부족한 부분을 빠르게 보충 가능

확실한 개념 정리

수학은 개념이 생명!
기본 개념 문제로 구성된 쪽지 시험과
단원평가 5회분으로 확실한 단원 마무리

다양해진 학교 시험,
한 권으로 끝내자!
(초등 1~6학년 / 학기별)

꿈을 위한 동행

축구 선수, 래퍼, 선생님, 요리사, ...
배움을 통해 아이들은 꿈을 꿉니다.

학교에서 공부하고, 뛰어놀고 싶은 마음을
잠시 미뤄 둔 친구들이 있습니다.
어린이 병동에 입원해 있는 아이들.

이 아이들도 똑같이 공부하고
맘껏 꿈 꿀 수 있어야 합니다.
천재교육 학습봉사단은
직접 병원으로 찾아가
같이 공부하고 얘기를 나눕니다.

함께 하는 시간이
아이들이 꿈을 키우는 밑바탕이 되길 바라며
천재교육은 앞으로도
나눔을 실천하며 세상과 소통하겠습니다.

천재교육

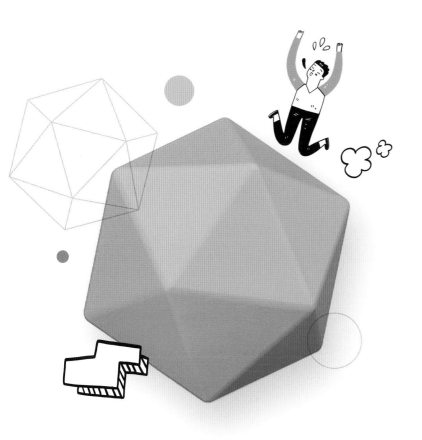

초등생의 필수 학습!
탄탄하게 다져투자!

모르는 문제는
확실하게
알고 가자!

정답 및 풀이

초등 수학 **5-2**

정답 및 풀이

개념 돌파 전략❶ 개념 기초 확인　9, 11쪽

1-1 9, 9, 27, $13\dfrac{1}{2}$

1-2 (1) 8, 8, 24　(2) 35, 35, 35, $17\dfrac{1}{2}$

2-1 $\dfrac{1\times\boxed{1}}{8\times\boxed{3}}$, $\dfrac{\boxed{1}}{\boxed{24}}$　　**2-2** 7, $\dfrac{7}{12}$

3-1 3, 5, $\dfrac{3\times\overset{8}{16}}{\underset{1}{2}\times\boxed{5}}$, $\dfrac{\boxed{24}}{\boxed{5}}$, $\boxed{4}\dfrac{4}{5}$

3-2 5, 13, $\dfrac{\overset{2}{18}\times\boxed{13}}{\boxed{5}\times\underset{1}{9}}$, $\dfrac{\boxed{26}}{\boxed{5}}$, $5\dfrac{1}{5}$

4-1 34, 34, 8, 272, 27.2

4-2 12, 6, 12, 6, 72, 7.2

5-1 11.4

5-2 (위에서부터) $\dfrac{1}{100}$, 6.24

6-1 4.86, 0.486

6-2 246.8, 24.68, 2.468

1-2 (1) 대분수를 가분수로 바꾼 후 자연수와 분수의 분자를 곱합니다.

(2) 대분수를 가분수로 바꾼 후 분수의 분자와 자연수를 곱합니다.

2-2 진분수끼리의 곱셈은 분모는 분모끼리, 분자는 분자끼리 곱합니다.

3-2 대분수를 가분수로 바꾼 후 분모는 분모끼리, 분자는 분자끼리 곱합니다.

4-2 소수를 분수로 나타낸 후 분수의 곱셈으로 계산합니다.

5-2 곱해지는 수와 곱하는 수가 각각 $\dfrac{1}{10}$배이면 계산 결과가 $\dfrac{1}{100}$배입니다.

6-2 곱하는 소수의 소수점 아래 자리 수가 하나씩 늘어날 때마다 곱의 소수점이 왼쪽으로 한 자리씩 옮겨집니다.

개념 돌파 전략❷　12~13쪽

1 3, 3, 9, $4\dfrac{1}{2}$　　**2** $\dfrac{6\times\boxed{1}}{7\times\boxed{4}}$, 28, 14

3 7, $\dfrac{7\times\boxed{5}}{1\times\boxed{6}}$, $\dfrac{\boxed{35}}{\boxed{6}}$, $\boxed{5}\dfrac{5}{6}$

4 $\dfrac{32}{100}\times9=\dfrac{32\times9}{100}=\dfrac{288}{100}=2.88$

5 (1) 3.25　(2) 46.08

6 (1) 0.43　(2) 4.3　(3) 0.43

1 $1\dfrac{1}{2}$을 가분수로 바꾼 후 3에 곱하여 계산합니다.

2 $\dfrac{6}{7}\times\dfrac{1}{4}=\dfrac{6\times1}{7\times4}=\dfrac{\overset{3}{6}}{\underset{14}{28}}=\dfrac{3}{14}$

3 분수가 들어간 모든 곱셈은 진분수나 가분수 형태로 나타낸 후 분모는 분모끼리, 분자는 분자끼리 곱하여 계산할 수 있습니다.

4 0.32를 분모가 100인 분수로 바꾸어 계산합니다.

5 (1) $13 \times 25 = 325$인데 1.3에 2.5를 곱하면 1.3의 2배인 2.6보다 커야 하므로 $1.3 \times 2.5 = 3.25$ 입니다.

(2) $48 \times 96 = 4608$인데 4.8에 9.6을 곱하면 4.8의 10배인 48보다 작아야 하므로 $4.8 \times 9.6 = 46.08$입니다.

6 (1) (자연수) × (소수 두 자리 수)
 = (소수 두 자리 수)

(2) (소수 세 자리 수) × (소수 한 자리 수)
 = (소수 네 자리 수)

(3) (소수 두 자리 수) × (소수 두 자리 수)
 = (소수 네 자리 수)

필수 체크 전략❶   14~17쪽

필수 예제 **01** $2\dfrac{7}{9}$

확인 **1-1** $2\dfrac{2}{5}$ 확인 **1-2** $\dfrac{5}{8}$

필수 예제 **02** (1) $\boxed{9}\dfrac{\boxed{1}}{\boxed{6}} \times \boxed{4}$ (2) $36\dfrac{2}{3}$ cm

확인 **2-1** $21\dfrac{3}{4}$ cm

확인 **2-2** $60\dfrac{4}{5}$ cm

필수 예제 **03** (1) 두   (2) 9◯6.4◯6

확인 **3-1** 6.1124   확인 **3-2** 7.3075

필수 예제 **04** (1) 4.86, 4.81, 4.83 (2) ㉠

확인 **4-1** (1) <   (2) =

확인 **4-2** ㉡

확인 **1-1** $5\dfrac{2}{5} > 4\dfrac{4}{7} > 1\dfrac{2}{3} > \dfrac{4}{9}$이므로 가장 큰 수는 $5\dfrac{2}{5}$이고, 가장 작은 수는 $\dfrac{4}{9}$입니다.

➡ $5\dfrac{2}{5} \times \dfrac{4}{9} = \dfrac{\overset{3}{27}}{5} \times \dfrac{4}{\underset{1}{9}} = \dfrac{12}{5} = 2\dfrac{2}{5}$

확인 **1-2** $3\dfrac{1}{8} > \dfrac{11}{5}\left(=2\dfrac{1}{5}\right) > 2\dfrac{1}{9} > \dfrac{1}{5}$이므로 가장 큰 수는 $3\dfrac{1}{8}$이고, 가장 작은 수는 $\dfrac{1}{5}$입니다. ➡ $3\dfrac{1}{8} \times \dfrac{1}{5} = \dfrac{\overset{5}{25}}{8} \times \dfrac{1}{\underset{1}{5}} = \dfrac{5}{8}$

확인 **2-1** $3\dfrac{5}{8} \times 6 = \dfrac{29}{\underset{4}{8}} \times \overset{3}{6} = \dfrac{87}{4} = 21\dfrac{3}{4}$ (cm)

확인 **2-2** $7\dfrac{3}{5} \times 8 = \dfrac{38}{5} \times 8 = \dfrac{304}{5} = 60\dfrac{4}{5}$ (cm)

확인 **3-1** (소수 두 자리 수) × (소수 두 자리 수) = (소수 네 자리 수)이므로 8.26×0.74의 결괏값은 소수 네 자리 수가 되어야 합니다. ➡ $8.26 \times 0.74 = 6.1124$

확인 **3-2** (소수 세 자리 수) × (소수 한 자리 수) = (소수 네 자리 수)이므로 0.925×7.9의 결괏값은 소수 네 자리 수가 되어야 합니다. ➡ $0.925 \times 7.9 = 7.3075$

확인 **4-1** (1) $46.3 \times 3.5 = 162.05$,
 $12 \times 14.3 = 171.6$
 ➡ $162.05 < 171.6$

(2) $0.52 \times 63 = 32.76$,
 $8.4 \times 3.9 = 32.76$

확인 **4-2** ㉠ $1.45 \times 46 = 66.7$
 ㉡ $31.2 \times 2.2 = 68.64$
 ㉢ $90 \times 0.76 = 68.4$
 ➡ ㉡ $68.64 >$ ㉢ $68.4 >$ ㉠ 66.7

18~19쪽

1

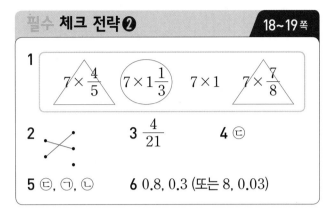

2

3 $3\frac{4}{21}$

4 ㉢

5 ㉢, ㉠, ㉤ **6** 0.8, 0.3 (또는 8, 0.03)

1 • 곱하는 수가 1보다 작으면 값이 작아지므로 $7 \times \frac{4}{5}$와 $7 \times \frac{7}{8}$의 계산 결과는 7보다 작습니다.

• 곱하는 수가 1과 같으면 값이 변하지 않으므로 7×1의 계산 결과는 7 그대로입니다.

• 곱하는 수가 1보다 크면 값이 커지므로 $7 \times 1\frac{1}{3}$의 계산 결과는 7보다 큽니다.

2 $\frac{\overset{}{4}}{\underset{3}{9}} \times \frac{\overset{2}{6}}{7} = \frac{8}{21}$, $\frac{\overset{5}{10}}{21} \times \frac{7}{\underset{4}{8}} = \frac{5}{12}$

3 세 분수를 한꺼번에 분모는 분모끼리, 분자는 분자끼리 곱한 다음 약분하여 계산합니다.

$$\frac{3}{7} \times \frac{10}{21} \times \frac{14}{15} = \frac{\overset{1}{3} \times \overset{2}{10} \times \overset{2}{14}}{\underset{1}{7} \times \underset{7}{21} \times \underset{3}{15}}$$
$$= \frac{1 \times 2 \times 2}{1 \times 7 \times 3} = \frac{4}{21}$$

다른 풀이 1

세 분수를 한꺼번에 곱하기 전에 약분하여 계산합니다.

$$\frac{\overset{1}{3}}{\underset{1}{7}} \times \frac{\overset{2}{10}}{\underset{7}{21}} \times \frac{\overset{2}{14}}{\underset{3}{15}} = \frac{1 \times 2 \times 2}{1 \times 7 \times 3} = \frac{4}{21}$$

다른 풀이 2

두 분수를 먼저 곱한 후 그 결과에 나머지 분수를 곱하여 계산합니다.

$$\frac{\overset{1}{3}}{7} \times \frac{10}{\underset{7}{21}} = \frac{10}{49}, \ \frac{\overset{2}{10}}{49} \times \frac{14}{\underset{3}{15}} = \frac{4}{21}$$

4 ㉠ 4.28의 10배 ➡ $4.28 \times 10 = 42.8$

㉤ 428의 0.1배 ➡ $428 \times 0.1 = 42.8$

㉢ $0.428 \times 1000 = 428$

따라서 계산 결과가 다른 것은 ㉢입니다.

5 ㉠ $2.8 \times 3.5 = 9.8$ ㉤ $5 \times 1.97 = 9.85$

㉢ $8.9 \times 1.1 = 9.79$

➡ ㉢ $9.79 <$ ㉠ $9.8 <$ ㉤ 9.85

6 0.8×0.03은 0.024이어야 하는데 지훈이가 잘못 눌러서 0.24가 나왔으므로 0.8과 0.3을 눌렀거나 8과 0.03을 누른 것입니다.

1주 03일

20~23쪽

필수 예제 01 (1) $\frac{3}{10}$ (2) $21\frac{3}{5}$ cm²

확인 1-1 32 cm² 확인 1-2 $67\frac{1}{2}$ cm²

필수 예제 02 $2\frac{5}{8} \times \frac{4}{7} = 1\frac{1}{2}$; $1\frac{1}{2}$ kg

확인 2-1 $\frac{9}{10} \times \frac{3}{5} = \frac{27}{50}$; $\frac{27}{50}$ m

확인 2-2 $3\frac{1}{3} \times \frac{1}{6} = \frac{5}{9}$; $\frac{5}{9}$ m

필수 예제 03 (1) 49.44 (2) 52.64 (3) 50, 51, 52

확인 3-1 509 확인 3-2 19, 20, 21, 22

필수 예제 04 $3.5 \times 1.8 = 6.3$; 6.3 cm²

확인 4-1 $11.2 \times 8.4 = 94.08$; 94.08 cm²

확인 4-2 $6.35 \times 4.6 = 29.21$; 29.21 cm²

확인 1-1 색칠한 부분은 15칸 중의 8칸이므로 전체의 $\frac{8}{15}$입니다. 따라서 색칠한 부분의 넓이는

$\overset{4}{60} \times \frac{8}{\underset{1}{15}} = 32$ (cm²)입니다.

확인 1-2 색칠한 부분은 16칸 중의 9칸이므로 전체의
$\dfrac{9}{16}$입니다.

➡ (색칠한 부분의 넓이)
$$=\overset{15}{\cancel{120}}\times\dfrac{9}{\underset{2}{\cancel{16}}}=\dfrac{135}{2}=67\dfrac{1}{2}\ (\text{cm}^2)$$

확인 2-1 $\dfrac{9}{10}\times\dfrac{3}{5}=\dfrac{9\times3}{10\times5}=\dfrac{27}{50}\ (\text{m})$

확인 2-2 $3\dfrac{1}{3}\times\dfrac{1}{6}=\dfrac{\overset{5}{\cancel{10}}}{3}\times\dfrac{1}{\underset{3}{\cancel{6}}}=\dfrac{5}{9}\ (\text{m})$

확인 3-1 $63.7\times8=509.6$

$509.6>$■이므로 ■ 안에 들어갈 수 있는 가장 큰 자연수는 509입니다.

확인 3-2 $2.4\times7.8=18.72$, $6\times3.74=22.44$

$18.72<$■<22.44이므로 ■ 안에 들어갈 수 있는 자연수는 19, 20, 21, 22입니다.

확인 4-1 (직사각형의 넓이)=(가로)×(세로)
$$=11.2\times8.4$$
$$=94.08\ (\text{cm}^2)$$

확인 4-2 (평행사변형의 넓이)
=(밑변의 길이)×(높이)
$$=6.35\times4.6$$
$$=29.21\ (\text{cm}^2)$$

필수 체크 전략 ❷ 24~25쪽

1 $1\dfrac{5}{9}$ L	**2** 9, 8 (또는 8, 9)
3 나	**4** ㉡
5 $16\ \text{cm}^2$	**6** $31.25\ \text{km}$

---

1 $\dfrac{2}{9}\times7=\dfrac{2\times7}{9}=\dfrac{14}{9}=1\dfrac{5}{9}\ (\text{L})$

2 계산 결과가 가장 작은 식이 되려면 (가장 작은 분수)×(두 번째로 작은 분수)의 곱셈식이 되도록 만들어야 합니다.

단위분수는 분모가 클수록 더 작은 수이므로 두 분수의 분모 부분에 가장 큰 수인 9와 두 번째로 큰 수인 8을 써넣습니다.

3 가의 넓이: $1\dfrac{1}{7}\times1\dfrac{1}{7}=\dfrac{8}{7}\times\dfrac{8}{7}$
$$=\dfrac{64}{49}=1\dfrac{15}{49}\ (\text{cm}^2)$$

나의 넓이: $1\dfrac{6}{7}\times\dfrac{5}{7}=\dfrac{13}{7}\times\dfrac{5}{7}$
$$=\dfrac{65}{49}=1\dfrac{16}{49}\ (\text{cm}^2)$$

➡ $1\dfrac{15}{49}<1\dfrac{16}{49}$이므로 나가 더 넓습니다.

4 먼저 곱의 소수점 아래 마지막 숫자가 0인지 확인한 후 곱하는 두 소수의 소수점 아래 자리 수의 합을 알아봅니다.
㉠ (소수 한 자리 수)×(소수 두 자리 수)
= (소수 세 자리 수)
㉡ (소수 두 자리 수)×(소수 두 자리 수)
= (소수 네 자리 수)
㉢ (소수 두 자리 수)×(소수 한 자리 수)
= (소수 세 자리 수)
㉣ (소수 한 자리 수)×(소수 두 자리 수)
= (소수 세 자리 수)

다른 풀이
각 식의 곱을 구한 후 소수점 아래 자리 수를 비교합니다.
㉠ $0.8\times4.82=3.856$ ➡ 소수 세 자리 수
㉡ $3.25\times1.65=5.3625$ ➡ 소수 네 자리 수
㉢ $36.57\times0.5=18.285$ ➡ 소수 세 자리 수
㉣ $24.2\times3.21=77.682$ ➡ 소수 세 자리 수

정답 및 풀이

5 $6.4 \times 5 \div 2 = 32 \div 2 = 16 \; (\text{cm}^2)$

6 $15분 = \dfrac{15}{60}시간 = 0.25시간$

➡ (기차가 15분 동안 달린 거리)
 =(한 시간에 달리는 거리)×(달린 시간)
 $= 125 \times 0.25 = 31.25 \; (\text{km})$

교과서 대표 전략 ❶ 26~29쪽

대표 **예제 01** $\dfrac{2}{9}$

대표 **예제 02** 예) $\dfrac{14}{3} \times 6 = \dfrac{14 \times 6}{3} = \dfrac{\overset{28}{\cancel{84}}}{\underset{1}{\cancel{3}}} = 28$

대표 **예제 03** 8.7, 5.22

대표 **예제 04** (1) > (2) < (3) <

대표 **예제 05** $1\dfrac{13}{14}$ km

대표 **예제 06** 10500원

대표 **예제 07** $\dfrac{4}{25}$

대표 **예제 08** 5개

대표 **예제 09** 4, 36, 3.6

대표 **예제 10** (1) 0.42 (2) 4.2 (3) 0.042

대표 **예제 11** $\dfrac{25}{100} \times 7 = \dfrac{175}{100} = 1.75$

대표 **예제 12** (1) 524.30 (2) 12.012

대표 **예제 13** (위에서부터) 1.44 ; 6.57, 8

대표 **예제 14** 0.01

대표 **예제 15** 61.2 cm

대표 **예제 16** 4.95 m

대표 **예제 01** $\dfrac{\overset{2}{\cancel{8}}}{\underset{3}{\cancel{15}}} \times \dfrac{\overset{1}{\cancel{5}}}{\underset{3}{\cancel{12}}} = \dfrac{2}{9}$

대표 **예제 02** 대분수를 가분수로 바꾼 다음 분수의 분자와 자연수를 곱하여 계산해야 하는데, 자연수를 분모에도 곱하여 잘못 계산했습니다.

대표 **예제 03** $2.9 \times 3 = 8.7,$
$8.7 \times 0.6 = 5.22$

대표 **예제 04** (1) $10 \times \dfrac{7}{8}$ 은 10에 1보다 더 작은 수를 곱했으므로 값이 작아집니다.

(2) $10 \times \dfrac{9}{8}$ 는 10에 1보다 더 큰 수를 곱했으므로 값이 커집니다.

(3) $10 \times 2\dfrac{1}{8}$ 은 10에 1보다 더 큰 수를 곱했으므로 값이 커집니다.

대표 **예제 05** $\dfrac{9}{14} \times 3 = \dfrac{9 \times 3}{14} = \dfrac{27}{14}$
$= 1\dfrac{13}{14} \; (\text{km})$

대표 **예제 06** $\overset{1500}{\cancel{15000}} \times \dfrac{7}{\underset{1}{\cancel{10}}} = 10500(원)$

대표 **예제 07** $\dfrac{\overset{4}{\cancel{8}}}{\underset{5}{\cancel{15}}} \times \dfrac{\overset{1}{\cancel{3}}}{\underset{5}{\cancel{10}}} = \dfrac{4}{25}$

대표 **예제 08** $3\dfrac{1}{5} \times 1\dfrac{5}{6} = \dfrac{16}{5} \times \dfrac{11}{\underset{3}{\cancel{6}}}^{\,8}$
$= \dfrac{88}{15} = 5\dfrac{13}{15}$

$5\dfrac{13}{15} > \square$ 이므로 $\square$ 안에 들어갈 수 있는 자연수는 1, 2, 3, 4, 5로 모두 5개입니다.

대표 예제 09 0.4×9는 0.1이 모두 $4 \times 9 = 36$(개)입니다. 0.1이 36개이면 3.6이므로 $0.4 \times 9 = 3.6$입니다.

대표 예제 10 (1) 곱하는 수가 소수 두 자리 수이므로 결괏값도 소수 두 자리 수여야 합니다. ➡ 0.42

(2) 곱해지는 수가 소수 한 자리 수이므로 결괏값도 소수 한 자리 수여야 합니다. ➡ 4.2

(3) (소수 두 자리 수) $\times$ (소수 한 자리 수) $=$ (소수 세 자리 수)

대표 예제 11 소수 두 자리 수는 분모가 100인 분수로 나타낼 수 있습니다.

0.25를 $\dfrac{25}{100}$가 아닌 $\dfrac{25}{10}$로 잘못 나타내어 계산한 것입니다.

대표 예제 12 (1) 1.07은 1에 가까우므로 52430을 490에 가깝게 만들려면 524.30으로 소수점을 찍어야 합니다.

(2) (소수 한 자리 수) $\times$ (소수 두 자리 수) $=$ (소수 세 자리 수)이므로 $92.4 \times 0.13 = 12.012$입니다.

대표 예제 13 · $9 \times 16 = 144$ ➡ $0.9 \times 1.6 = 1.44$

· $73 \times 9 = 657$ ➡ $7.3 \times 0.9 = 6.57$

· $5 \times 16 = 80$ ➡ $5 \times 1.6 = 8.0$

대표 예제 14 어떤 수를 ■라 하면 $79.12 \times ■ = 0.7912$입니다.

곱하는 두 수의 소수점 아래 자리 수를 더한 것과 결괏값의 소수점 아래 자리 수가 같아야 하므로 (소수 두 자리 수) $\times$ (소수 두 자리 수) $=$ (소수 네 자리 수)에서 ■는 소수 두 자리 수인 0.01입니다.

대표 예제 15 $1224 \times 5 = 6120$

➡ $12.24 \times 5 = 61.20$

따라서 정오각형의 둘레는 61.2 cm입니다.

대표 예제 16 $11 \times 0.45 = 4.95 \text{ (m)}$

교과서 대표 전략❷   30~31쪽

1 $\dfrac{3}{14}$	**2** 3개
3 46 m^2	**4** $\dfrac{5}{14}$
5 39.6 kg	**6** 69 L
7 64.74	**8** 101.91 m^2

1 $\dfrac{4}{5} \times \dfrac{3}{8} \times \dfrac{5}{7} = \dfrac{4 \times 3 \times 5}{5 \times 8 \times 7} = \dfrac{\overset{3}{\cancel{60}}}{\underset{14}{\cancel{280}}} = \dfrac{3}{14}$

다른 풀이 1

$\dfrac{\overset{1}{\cancel{4}}}{\underset{1}{\cancel{5}}} \times \dfrac{3}{\underset{2}{\cancel{8}}} \times \dfrac{\overset{1}{\cancel{5}}}{7} = \dfrac{1 \times 3 \times 1}{1 \times 2 \times 7} = \dfrac{3}{14}$

다른 풀이 2

$\dfrac{\overset{1}{\cancel{4}}}{5} \times \dfrac{3}{\underset{2}{\cancel{8}}} = \dfrac{3}{10}, \quad \dfrac{\overset{1}{\cancel{3}}}{\underset{2}{\cancel{10}}} \times \dfrac{\overset{1}{\cancel{5}}}{7} = \dfrac{3}{14}$

2 6에 곱하는 수가 1보다 더 크면 계산 결과가 6보다 큽니다.

따라서 곱하는 수가 1보다 큰 식을 모두 찾으면 $6 \times 1\dfrac{1}{10}$, $6 \times \dfrac{7}{3}$, $6 \times 4\dfrac{3}{5}$으로 모두 3개입니다.

3 $9\dfrac{1}{5} \times 5 = \dfrac{46}{\underset{1}{\cancel{5}}} \times \overset{1}{\cancel{5}} = 46 \text{ (m}^2)$

초등 수학 5-2   **7**

4 혜성이가 어제 읽고 난 나머지는 책 전체의
$1-\dfrac{1}{6}=\dfrac{6}{6}-\dfrac{1}{6}=\dfrac{5}{6}$ 입니다.

따라서 오늘 읽은 양은 책 전체의

$\dfrac{5}{\overset{}{\underset{2}{6}}}\times\dfrac{\overset{1}{3}}{7}=\dfrac{5}{14}$ 입니다.

5 (금성에서 잰 지호의 몸무게)
$=44\times0.9=39.6\,(kg)$

6 $230\times3=690$이므로 $230\times0.3=69$입니다.
따라서 재민이가 하루 동안 아낄 수 있는 물의 양은
69 L입니다.

7 어떤 수를 ■라 하면 ■$+7.8=16.1$에서
■$=16.1-7.8=8.3$입니다.
따라서 바르게 계산하면 $8.3\times7.8=64.74$입니다.

8 (새로운 놀이터의 가로)$=8.6\times1.5=12.9\,(m)$
➡ (새로운 놀이터의 넓이)
$=$ (새로운 놀이터의 가로)$\times$(세로)
$=12.9\times7.9=101.91\,(m^2)$

누구나 만점 전략 32~33쪽

01 (1) $\dfrac{10}{21}$ (2) $3\dfrac{1}{2}$　**02** (1) $>$ (2) $>$ (3) $<$

03 예 $\dfrac{\overset{11}{33}}{\underset{4}{8}}\times\dfrac{\overset{11}{22}}{\underset{3}{9}}=\dfrac{121}{12}=10\dfrac{1}{12}$

04 $17\dfrac{1}{2}$ cm　　**05** $25\dfrac{1}{5}$ cm²

06 •——•　　**07** 403.20

08 $1.5\times5=7.5$; 7.5시간

09 준서　　**10** 7개

---

01 (1) $\dfrac{\overset{2}{4}}{7}\times\dfrac{5}{\underset{3}{6}}=\dfrac{10}{21}$

(2) $1\dfrac{2}{3}\times2\dfrac{1}{10}=\dfrac{\overset{1}{5}}{\underset{1}{3}}\times\dfrac{\overset{7}{21}}{\underset{2}{10}}=\dfrac{7}{2}=3\dfrac{1}{2}$

02 (1), (2) 어떤 수에 진분수를 곱하면 곱한 결과는
어떤 수보다 작습니다.
(3) 어떤 수에 대분수를 곱하면 곱한 결과는 어떤
수보다 큽니다.

03 대분수의 곱셈을 할 때에는 먼저 대분수를 가분
수로 나타낸 후 약분하여 계산해야 합니다.

04 (정사각형의 둘레)
$=$ (한 변의 길이)$\times4$
$=4\dfrac{3}{8}\times4=\dfrac{35}{\underset{2}{8}}\times\overset{1}{4}=\dfrac{35}{2}=17\dfrac{1}{2}\,(cm)$

05 (직사각형 전체의 넓이)
$=9\times5\dfrac{1}{4}=9\times\dfrac{21}{4}=\dfrac{189}{4}=47\dfrac{1}{4}\,(cm^2)$
➡ (색칠한 부분의 넓이)
$=$ (직사각형 전체의 넓이)$\times\dfrac{8}{15}$

$=47\dfrac{1}{4}\times\dfrac{8}{15}=\dfrac{\overset{63}{189}}{\underset{1}{4}}\times\dfrac{\overset{2}{8}}{\underset{5}{15}}$

$=\dfrac{126}{5}=25\dfrac{1}{5}\,(cm^2)$

06 $0.8\times90=72$, $8\times0.09=0.72$,
$80\times0.9=72$, $0.08\times9=0.72$

07 0.96은 1에 가까운 수이므로 0.96×420을
420에 가깝게 만들려면 403.20으로 소수점을
찍어야 합니다.

08 1시간 30분 $=1\frac{30}{60}$ 시간 $=1.5$ 시간

월요일부터 금요일까지 하루에 1.5시간씩 5일 동안 공부를 했으므로 이번 주에 민정이가 공부한 시간은 $1.5 \times 5 = 7.5$ (시간)입니다.

09 지선: $3.3 \times 7 = 23.1$
세호: $12 \times 1.84 = 22.08$
은영: $4.3 \times 5.2 = 22.36$
준서: $6.8 \times 3.5 = 23.8$

➡ $23.8 > 23.1 > 22.36 > 22.08$ 이므로 계산 결과가 가장 큰 식이 적힌 종이를 가지고 있는 사람은 준서입니다.

10 $9.5 \times 9.7 = 92.15$,
$12.3 \times 8.1 = 99.63$

➡ $92.15 < \blacksquare < 99.63$ 이므로 $\blacksquare$ 안에 들어갈 수 있는 자연수는 93, 94, 95, 96, 97, 98, 99로 모두 7개입니다.

창의·융합·코딩 전략❶ **34~35쪽**

1 $8\frac{2}{5}$ kg	2 2.5 m

1 $2\frac{4}{5} \times 3 = \frac{14}{5} \times 3$

$= \frac{14 \times 3}{5} = \frac{42}{5}$

$= 8\frac{2}{5}$ (kg)

2 상자를 묶는 데 사용한 끈의 길이는 0.5 m의 5배입니다.

➡ $0.5 \times 5 = 2.5$ (m)

창의·융합·코딩 전략❷ **36~39쪽**

1 1	2 $29\frac{29}{40}$ cm
3 $31\frac{1}{4}$ cm²	4 4, 6, 8
5 3.6 kg	6 3개
7 19.88	8 42달러

1 ♥에 $1\frac{7}{12}$을 넣으면 $15 \times 1\frac{7}{12}$에서 $1\frac{7}{12}$이 1보다 더 크므로 계산 결과는 15보다 큽니다.
따라서 출력되는 값은 1이 됩니다.

2 (A1 용지의 짧은 쪽의 길이)

$=$ (A0 용지의 긴 쪽의 길이) $\times \frac{1}{2}$

$= 118\frac{9}{10} \times \frac{1}{2} = \frac{1189}{10} \times \frac{1}{2}$

$= \frac{1189}{20} = 59\frac{9}{20}$ (cm)

(A3 용지의 짧은 쪽의 길이)

$=$ (A1 용지의 짧은 쪽의 길이) $\times \frac{1}{2}$

$= 59\frac{9}{20} \times \frac{1}{2} = \frac{1189}{20} \times \frac{1}{2}$

$= \frac{1189}{40} = 29\frac{29}{40}$ (cm)

3 가장 작은 정삼각형 하나는 전체를 4등분한 것 중의 하나를 다시 4등분한 것 중의 하나이므로 전체의 $\frac{1}{4} \times \frac{1}{4} = \frac{1}{16}$입니다.

색칠한 부분은 가장 작은 정삼각형이 15개이므로 전체의 $\frac{1}{16} \times 15 = \frac{15}{16}$입니다.

➡ (색칠한 부분의 넓이)

$= 33\frac{1}{3} \times \frac{15}{16} = \frac{\overset{25}{\cancel{100}}}{\underset{1}{\cancel{3}}} \times \frac{\overset{5}{\cancel{15}}}{\underset{4}{\cancel{16}}} = \frac{125}{4}$

$= 31\frac{1}{4}$ (cm²)

4

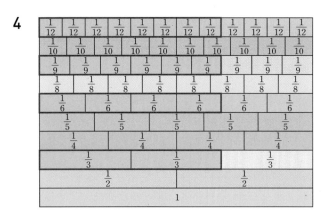

$\dfrac{1}{3}$을 2번 더한 길이는 $\dfrac{1}{6}$을 4번, $\dfrac{1}{9}$을 6번,

$\dfrac{1}{12}$을 8번 더한 길이와 각각 같으므로

$\dfrac{1}{3}\times 2=\dfrac{1}{6}\times 4=\dfrac{1}{9}\times 6=\dfrac{1}{12}\times 8$입니다.

참고

■를 ▲번 더한 것은 ■에 ▲를 곱한 것과 같습니다.

$$\underbrace{■+■+■+\cdots\cdots+■}_{▲번}=■\times▲$$

5 8파운드는 $0.45\times 8=3.6\ (\text{kg})$이므로 8이 적힌 볼링공의 무게는 $3.6\ \text{kg}$입니다.

6 우유가 $0.5\ \text{L}$씩 5일치가 필요하므로
$0.5\times 5=2.5\ (\text{L})$ 필요합니다.
따라서 $1\ \text{L}$짜리 우유를 최소 3개 사야 합니다.

7 5보다 크고 10보다 작은 자연수 중 가장 작은 홀수는 7입니다.
따라서 ★에 7을 넣으면 출력되는 값은
$28.4\times 0.7=19.88$입니다.

8 우리나라 돈 1000원은 미국 돈으로 0.84달러이고, 우리나라 돈 50000원은 1000원의 50배입니다. 따라서 우리나라 돈 50000원은 미국 돈 $0.84\times 50=42$(달러)로 바꿀 수 있습니다.

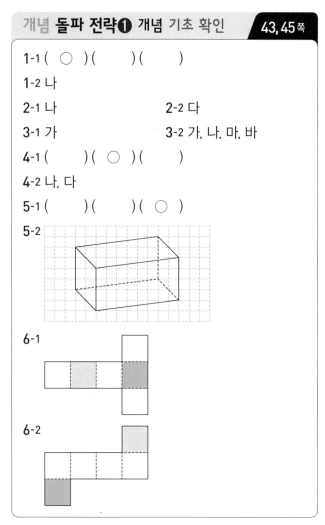

개념 **돌파 전략❶** 개념 기초 확인 **43, 45쪽**

1-1 (◯)( )( )

1-2 나

2-1 나 **2-2** 다

3-1 가 **3-2** 가, 나, 마, 바

4-1 ( )(◯)( )

4-2 나, 다

5-1 ( )( )(◯)

5-2

6-1

6-2

1-2 주어진 도형과 모양과 크기가 같아서 포개었을 때 완전히 겹치는 도형을 찾으면 나입니다.

2-2 한 직선을 따라 접었을 때 완전히 겹치는 도형은 다입니다.

3-2

어떤 점을 중심으로 $180°$ 돌렸을 때 처음 도형과 완전히 겹치는 도형은 가, 나, 마, 바입니다.

4-2 직사각형 6개로 둘러싸인 도형을 모두 찾으면 나, 다입니다.

5-2 빠진 모서리 중에서 보이는 모서리는 실선으로, 보이지 않는 모서리는 점선으로 그립니다.

6-2 전개도를 접었을 때 색칠한 면과 서로 마주 보는 면을 찾아 색칠합니다.

---

1 7 cm, 70°　　　　**2** (위에서부터) 120, 6

3 (왼쪽부터) 75, 60, 7

4 (1) 면 ㄴㅂㅅㄷ

　　(2) 면 ㄱㄴㄷㄹ, 면 ㄱㅁㅂㄴ, 면 ㅁㅂㅅㅇ,

　　　 면 ㄹㅇㅅㄷ

5 3, 9, 7　　　　　　**6** 선분 ㅈㅇ, 선분 ㄱㅎ

---

1 ・대응변의 길이는 서로 같고, 변 ㄱㄹ의 대응변
은 변 ㅇㅁ이므로

　(변 ㄱㄹ)=(변 ㅇㅁ)=7 cm입니다.

・대응각의 크기는 서로 같고, 각 ㅇㅅㅂ의 대
응각은 각 ㄱㄴㄷ이므로

　(각 ㅇㅅㅂ)=(각 ㄱㄴㄷ)=70°입니다.

2 선대칭도형에서 각각의 대응변의 길이가 서로
같고, 각각의 대응각의 크기가 서로 같습니다.

3 점대칭도형에서 각각의 대응변의 길이가 서로
같고, 각각의 대응각의 크기가 서로 같습니다.

4 (1) 면 ㄱㅁㅇㄹ과 서로 마주 보고 있는 면을 찾
아 씁니다.

　　(2) 면 ㄱㅁㅇㄹ과 서로 만나는 면을 모두 찾아
씁니다.

　참고

　직육면체의 한 면과 평행한 면은 1개이고, 수직
인 면은 4개입니다.

---

5 직육면체의 겨냥도에서 보이는 면은 3개, 보이는
모서리는 9개, 보이는 꼭짓점은 7개입니다.

6

전개도를 접었을 때 점 ㄱ과 만나는 점은 점 ㅍ,
점 ㅈ이고, 점 ㄴ과 만나는 점은 점 ㅂ, 점 ㅇ이
므로 선분 ㄱㄴ과 겹쳐지는 모서리는 선분 ㅈㅇ
입니다.

전개도를 접었을 때 점 ㅍ과 만나는 점은 점 ㄱ,
점 ㅈ이므로 선분 ㅍㅎ과 겹쳐지는 선분은 선분
ㄱㅎ입니다.

필수 예제 01 33 cm

확인 1-1 24 cm　　　　**확인 1-2** 29 cm

필수 예제 02 (1), (2)

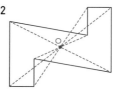

확인 2-1

확인 2-2

필수 예제 03 (1) 12개　(2) 144 cm

확인 3-1 180 cm　　　　**확인 3-2** 84 cm

필수 예제 04 (1) 6개, 3개　(2) 63 cm

확인 4-1 51 cm　　　　**확인 4-2** 48 cm

확인 1-1 (변 ㄱㄴ)=(변 ㅁㄹ)=10 cm,
(변 ㄱㄷ)=(변 ㅁㅂ)=6 cm
➡ (삼각형 ㄱㄴㄷ의 둘레)
=10+8+6=24 (cm)

확인 1-2 (변 ㅂㅅ)=(변 ㄹㄱ)=4 cm,
(변 ㅅㅇ)=(변 ㄱㄴ)=9 cm
➡ (사각형 ㅁㅂㅅㅇ의 둘레)
=6+4+9+10=29 (cm)

확인 2-1 점대칭도형에서 대응점을 찾아 각각 선분으로 잇고, 대응점끼리 이은 선분이 만나는 점을 찾아 점 ㅇ으로 표시합니다.

확인 2-2 점대칭도형에서 대응점을 찾아 각각 선분으로 잇고, 대응점끼리 이은 선분이 만나는 점을 찾아 점 ㅇ으로 표시합니다.

확인 3-1 길이가 15 cm인 모서리가 12개이므로 모든 모서리의 길이의 합은
$15\times12=180$ (cm)입니다.

확인 3-2 길이가 7 cm인 모서리가 12개이므로 모든 모서리의 길이의 합은 $7\times12=84$ (cm)입니다.

확인 4-1 보이는 모서리의 길이는 5 cm가 6개, 7 cm가 3개입니다.
➡ (보이는 모서리의 길이의 합)
$=5\times6+7\times3$
$=30+21=51$ (cm)

확인 4-2 보이는 모서리의 길이는 4 cm가 3개, 5 cm가 3개, 7 cm가 3개입니다.
➡ (보이는 모서리의 길이의 합)
$=(4+5+7)\times3$
$=16\times3=48$ (cm)

필수 체크 전략 ❷ 52~53쪽

1 예

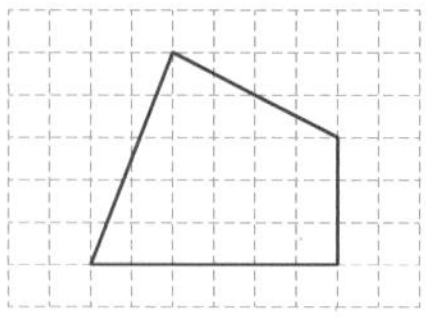

2 (1) ㄹㅈ (2) 90　3 ㉡, ㉣
4 (1) 가, 라, 마 (2) 라
5 소라　6 가, 라

1 주어진 도형과 모양과 크기가 같은 도형을 오른쪽에 그립니다.

2 (1) 선대칭도형의 각각의 대응점에서 대칭축까지의 거리는 서로 같습니다.
(2) 선대칭도형의 대응점끼리 이은 선분은 대칭축과 수직으로 만납니다.

3

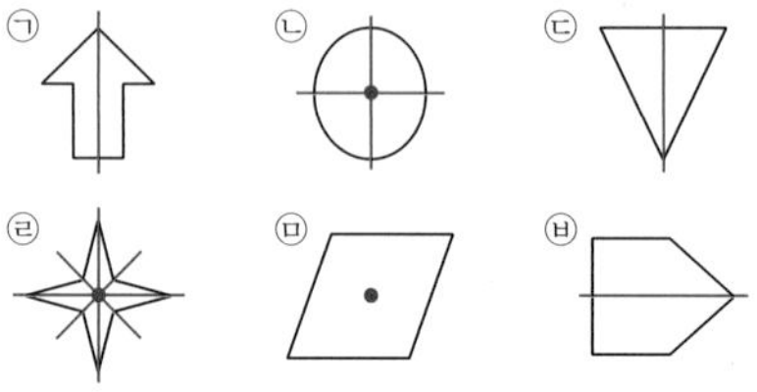

선대칭도형: ㉠, ㉡, ㉢, ㉣, ㉥
점대칭도형: ㉡, ㉣, ㉤
➡ 선대칭도형이면서 점대칭도형인 것은 ㉡, ㉣입니다.

4 (1) 직사각형 6개로 둘러싸인 도형을 모두 찾으면 가, 라, 마입니다.
(2) 정사각형 6개로 둘러싸인 도형을 찾으면 라입니다.

5 직육면체에서 한 면과 수직인 면은 모두 4개입니다.
직육면체에서 합동인 면은 2개씩 3쌍입니다.
정육면체의 면은 모두 합동입니다.

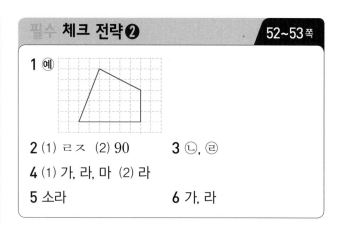

6 나: 접었을 때 서로 겹치는 면이 있으므로 직육
면체의 전개도가 아닙니다.

다: 직사각형 5개로 이루어져 있으므로 직육면
체의 전개도가 아닙니다.

필수 체크 전략 ❶ 54~57쪽

필수 예제 01 가

확인 1-1 나 **확인 1-2** 다

필수 예제 02 (1) 8, 9, 7 (2) 48 cm

확인 2-1 32 cm **확인 2-2** 40 cm

필수 예제 03 (1) 1, 9 (2) 10

확인 3-1 6 **확인 3-2** 0

필수 예제 04 (1) ㉡, ㉢, ㉠ (2) 3, 6, 2

확인 4-1 (왼쪽부터) 1, 2, 4

확인 4-2 (왼쪽부터) 5, 1, 4

확인 1-1 각 도형의 대칭축의 개수를 알아봅니다.

가: 5개, 나: 1개, 다: 셀 수 없이 많습니다.
따라서 대칭축이 가장 적은 선대칭도형은
나입니다.

확인 1-2 각 도형의 대칭축의 개수를 알아봅니다.

가: 1개, 나: 2개, 다: 4개
따라서 대칭축이 가장 많은 선대칭도형은
다입니다.

확인 2-1 점대칭도형에서 각각의 대응변의 길이는
서로 같으므로 점대칭도형의 둘레는
$(7+3+6) \times 2 = 16 \times 2 = 32$ (cm)입니다.

확인 2-2 점대칭도형에서 각각의 대응변의 길이는
서로 같으므로 점대칭도형의 둘레는
$(8+4+5+3) \times 2 = 20 \times 2 = 40$ (cm)
입니다.

확인 3-1 직육면체에서 보이는 꼭짓점은 7개, 보이지
않는 꼭짓점은 1개입니다.
➡ ㉠－㉡＝7－1＝6

확인 3-2 직육면체에서 보이지 않는 면은 3개, 보이지
않는 모서리는 3개입니다.
➡ ㉠－㉡＝3－3＝0

확인 4-1 전개도를 접어 정육면체를 만들었을 때 마
주 보는 면을 알아봅니다.

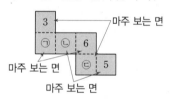

마주 보는 눈의 수의 합이 7이므로
㉠＝7－6＝1, ㉡＝7－5＝2,
㉢＝7－3＝4입니다.

확인 4-2 전개도를 접어 정육면체를 만들었을 때 마
주 보는 면을 알아봅니다.

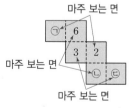

마주 보는 눈의 수의 합이 7이므로
㉠＝7－2＝5, ㉡＝7－6＝1,
㉢＝7－3＝4입니다.

1

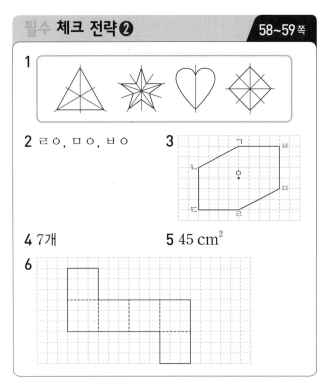

2 ㄹㅇ, ㅁㅇ, ㅂㅇ

3

4 7개

5 45 cm²

6

---

1 선대칭도형을 접었을 때 완전히 겹치도록 접을 수 있는 직선을 모두 그립니다.

2 점대칭도형에서 대칭의 중심은 대응점끼리 이은 선분을 둘로 똑같이 나누므로 도형의 한 점에서 대칭의 중심까지의 거리와 그 점의 대응점에서 대칭의 중심까지의 거리는 같습니다.

3 ① 점 ㄱ에서 대칭의 중심인 점 ㅇ을 지나는 직선을 긋습니다.
② 이 직선에 선분 ㄱㅇ과 길이가 같은 선분 ㄹㅇ이 되도록 점 ㄱ의 대응점을 찾아 점 ㄹ로 표시합니다.
③ 같은 방법으로 점 ㄴ과 점 ㄷ의 대응점을 찾아 점 ㅁ과 점 ㅂ으로 각각 표시합니다.
④ 점 ㄷ과 점 ㄹ, 점 ㄹ과 점 ㅁ, 점 ㅁ과 점 ㅂ을 차례로 이어 점대칭도형을 완성합니다.

4 직육면체에서 보이지 않는 면은 3개, 보이지 않는 모서리는 3개, 보이지 않는 꼭짓점은 1개입니다. ➡ 3+3+1=7(개)

5 면 ㄴㅂㅅㄷ과 평행한 면은 면 ㄱㅁㅇㄹ입니다. 면 ㄱㅁㅇㄹ은 가로가 9 cm, 세로가 5 cm인 직사각형이므로 넓이는 $9 \times 5 = 45$ (cm²)입니다.

참고

평행한 면끼리 서로 합동이므로 면 ㄴㅂㅅㄷ과 평행한 면의 넓이는 면 ㄴㅂㅅㄷ의 넓이와 같습니다. ➡ $9 \times 5 = 45$ (cm²)

6 잘린 모서리는 실선으로, 잘리지 않는 모서리는 점선으로 그립니다.

2주 04일

대표 **예제 01** 4, 4, 4   대표 **예제 02** ③

대표 **예제 03** 변 ㄱㄷ

대표 **예제 04**

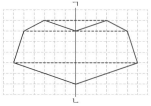

대표 **예제 05**

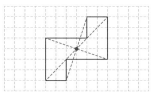

대표 **예제 06** N, O, X

대표 **예제 07** 42 cm   대표 **예제 08** 90 cm²

대표 **예제 09** 3개   대표 **예제 10** ㉡

대표 **예제 11** 8 cm

대표 **예제 12**

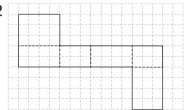

대표 예제 13

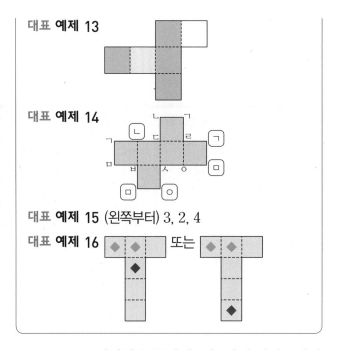

대표 예제 14

대표 예제 15 (왼쪽부터) 3, 2, 4

대표 예제 16

대표 예제 01 사각형은 꼭짓점, 변, 각이 각각 4개씩 있으므로 합동인 두 사각형에서 대응점, 대응변, 대응각은 각각 4쌍이 있습니다.

대표 예제 02 ③ 주어진 직선을 따라 접었을 때 완전히 겹쳐지지 않습니다.

대표 예제 03 삼각형 ㄹㄷㄴ을 뒤집어서 삼각형 ㄱㄴㄷ에 포개었을 때 변 ㄹㄴ과 완전히 겹치는 변은 변 ㄱㄷ이므로 변 ㄹㄴ의 대응변은 변 ㄱㄷ입니다.

대표 예제 04 대응점을 모두 찾아 표시한 후 대응점을 차례로 이어 선대칭도형을 완성합니다.

대표 예제 05 대응점끼리 선분으로 이어 보고 선분들이 만나는 곳에 대칭의 중심을 표시합니다.

대표 예제 06 어떤 점을 중심으로 $180°$ 돌렸을 때 처음 도형과 완전히 겹치는 알파벳을 모두 찾아보면 **N**, **O**, **X**입니다.

대표 예제 07 주어진 선대칭도형에는 길이가 $4\,\mathrm{cm}$, $9\,\mathrm{cm}$, $8\,\mathrm{cm}$인 변이 각각 2개씩이므로 선대칭도형의 둘레는
$$(4+9+8)\times2=21\times2=42\,(\mathrm{cm})$$
입니다.

대표 예제 08 삼각형 ㄴㄱㄹ과 삼각형 ㄴㄷㄹ의 넓이가 서로 같으므로 사각형 ㄱㄴㄷㄹ의 넓이는 삼각형 ㄴㄱㄹ의 넓이의 2배입니다.
삼각형 ㄴㄱㄹ은 밑변의 길이가 $18\,\mathrm{cm}$, 높이가 $5\,\mathrm{cm}$인 삼각형이므로 넓이는 $18\times5\div2=45\,(\mathrm{cm^2})$입니다.
따라서 사각형 ㄱㄴㄷㄹ의 넓이는 $45\times2=90\,(\mathrm{cm^2})$입니다.

대표 예제 09 직사각형 6개로 둘러싸인 모양의 물건은 가, 나, 라로 모두 3개입니다.

대표 예제 10 ㉠ 직육면체에서 서로 평행한 두 면을 직육면체의 밑면이라고 합니다.
㉢ 직육면체에서 한 면과 만나는 면은 모두 4개입니다.

대표 예제 11 (정육면체의 한 모서리의 길이)
=(모든 모서리의 길이의 합)
÷(모서리의 수)
$=96\div12=8\,(\mathrm{cm})$

대표 예제 12 점선으로 그려진 모서리는 잘리지 않는 모서리를 나타내므로 맨 왼쪽의 점선으로 그린 모서리 위쪽에 빠진 면 1개를 그리고, 맨 오른쪽에 나머지 면 1개를 그립니다. 전개도를 접었을 때 겹치는 선분끼리 길이가 같도록 그려야 합니다.

대표 예제 13 색칠한 면과 수직인 면은 색칠한 면, 그리고 색칠한 면과 평행한 면을 제외한 나머지 면 4개입니다.

대표 예제 14 전개도를 접었을 때 만나는 점끼리 같은 기호를 써넣습니다.

대표 예제 15 전개도를 접었을 때 겨냥도의 모양과 같도록 선분의 길이를 써넣습니다.

대표 예제 16 무늬가 있는 면 3개가 한 꼭짓점에서 만나도록 전개도에 무늬를 그려 넣습니다.

교과서 대표 전략❷ `64~65쪽`

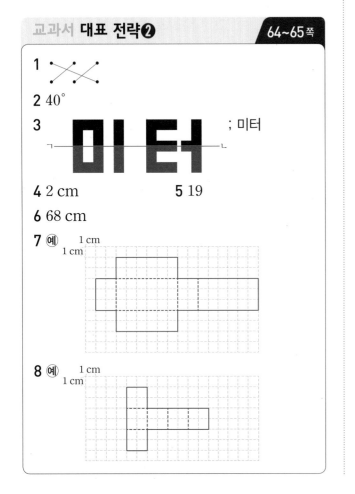

1

2 40°

3 미 터 ; 미터

4 2 cm   **5** 19

6 68 cm

7 예)

8 예)

---

1 두 표지판을 포개었을 때 완전히 겹치는 것끼리 선으로 잇습니다.

2 각 ㄹㅂㅁ의 대응각은 각 ㄱㄴㄷ으로 두 각의 크기가 서로 같습니다.
삼각형 ㄱㄴㄷ의 세 각의 크기의 합은 180°이므로
(각 ㄹㅂㅁ)=(각 ㄱㄴㄷ)=180°−105°−35°
=40°입니다.

3 대칭축 아래쪽에 대칭축을 기준으로 접었을 때 위쪽과 완전히 겹치도록 도형을 그립니다.
숨겨진 단어는 '미터'입니다.

4 점대칭도형은 대응변의 길이가 같으므로
(변 ㅁㅂ)=(변 ㄱㄴ)=3 cm,
(변 ㄷㄹ)=(변 ㅅㅈ)=6 cm,
(변 ㄱㅈ)=(변 ㅁㄹ)=5 cm,
(변 ㄴㄷ)=(변 ㅂㅅ)이고,
(변 ㄴㄷ)+(변 ㅂㅅ)
=32−(3+6+5+3+6+5)=4 (cm)입니다.
따라서 변 ㄴㄷ은 4÷2=2 (cm)입니다.

5

면의 수(개)		모서리의 수(개)		꼭짓점의 수(개)	
6		12		8	
보이는 면	보이지 않는 면	보이는 모서리	보이지 않는 모서리	보이는 꼭짓점	보이지 않는 꼭짓점
3	3(ⓒ)	9(ⓐ)	3	7(ⓒ)	1

➡ ⓐ+ⓑ+ⓒ=9+3+7=19

6 직육면체에 길이가 9 cm, 5 cm, 3 cm인 모서리가 각각 4개씩 있으므로 모든 모서리의 길이의 합은 (9+5+3)×4=17×4=68 (cm)입니다.

7 전개도에서 잘린 모서리는 실선으로, 잘리지 않는 모서리는 점선으로 그려야 합니다.
전개도를 여러 가지 방법으로 그릴 수 있습니다.

8 잘린 모서리는 실선으로, 잘리지 않는 모서리는 점선으로 그려야 합니다. 정육면체의 전개도를 그리는 방법은 모두 11가지가 있습니다.

누구나 만점 전략 `66~67쪽`

01 (1) 6 cm (2) 55°   **02** 가, 나, 마, 바
03 다, 라, 마
04 (1)

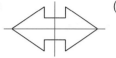

(2)

05

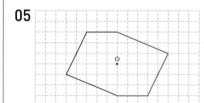

06 (왼쪽부터) 모서리, 면, 꼭짓점
07 (1) × (2) × (3) ○
08 나
09 (1) 면 마 (2) 면 나, 면 라, 면 마, 면 바
10
1 cm
1 cm

01 (1) 합동인 두 도형에서 대응변의 길이는 서로 같습니다.
변 ㄱㄹ의 대응변은 변 ㅇㅁ이므로 6 cm입니다.
(2) 합동인 두 도형에서 대응각의 크기는 서로 같습니다.
각 ㅂㅅㅇ의 대응각은 각 ㄷㄴㄱ이므로 55° 입니다.

02 한 직선을 따라 접었을 때 완전히 겹치는 도형을 모두 찾습니다.

03 어떤 점을 중심으로 180° 돌렸을 때 처음 도형과 완전히 겹치는 도형을 모두 찾습니다.

04 도형을 접었을 때 완전히 겹치도록 접을 수 있는 직선을 모두 그립니다.

05 각 점의 대응점을 찾아 표시하고 점을 차례로 이어 점대칭도형이 되도록 그립니다.

06 직육면체에서 선분으로 둘러싸인 부분을 면이라고 하고, 면과 면이 만나는 선분을 모서리라고 합니다. 또, 모서리와 모서리가 만나는 점을 꼭짓점이라고 합니다.

07 (1) 꼭짓점은 모두 8개입니다.
(2) 서로 평행한 면은 모두 3쌍입니다.

08 보이는 모서리는 실선으로, 보이지 않는 모서리는 점선으로 그린 것을 찾으면 나입니다.

09 (1) 전개도를 접었을 때 면 나와 마주 보는 면인 면 마입니다.
(2) 면 가와 수직인 면은 면 가, 그리고 면 가와 평행한 면인 면 다를 제외한 나머지 면 4개입니다.

10 마주 보는 면 3쌍의 모양과 크기가 같고 서로 겹치는 면이 없으며 만나는 모서리의 길이가 같도록 그립니다.

창의·융합·코딩 전략❶ 68~69쪽

1 나, 라, 마	2 나

1 한 직선을 따라 접었을 때 완전히 겹치는 젤리를 모두 찾으면 나, 라, 마입니다.

나   라   마

2 정사각형 6개로 둘러싸인 상자를 찾으면 나입니다.

창의·융합·코딩 전략❷ 70~73쪽

1 나이지리아, 자메이카, 태국

2 태서

3

4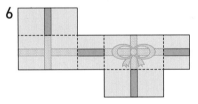

5 192 cm

6
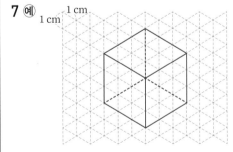

7 예
1 cm
1 cm

8

1 국기를 180° 돌렸을 때 처음 모양과 같은 국기를 가진 나라는 나이지리아, 자메이카, 태국입니다.

2 표창은 어느 직선을 따라 접어도 완전히 겹치도록 접을 수 없으므로 선대칭도형이 아닙니다.
표창의 가운데 점을 중심으로 180° 돌렸을 때 처음 모양과 완전히 겹치므로 점대칭도형입니다.

3 각 점의 대응점을 찾아 차례로 이어 선대칭도형을 완성하고 연필이 움직여야 하는 방향을 확인하여 빈칸에 화살표를 알맞게 채웁니다.

4 • 선대칭도형인 숫자: 0, 1, 3, 8
• 선대칭도형이 아닌 숫자(㉠):
2, 4, 5, 6, 7, 9
• 선대칭도형이면서 점대칭도형이 아닌 숫자(㉡):
3
• 선대칭도형이면서 점대칭도형인 숫자(㉢):
0, 1, 8

5 세호가 만든 정육면체의 모든 모서리의 길이의 합은 $16 \times 12 = 192$ (cm)입니다.

6 전개도를 접어 선물 상자를 만들었을 때 리본이 있는 선물 상자의 윗부분과 아랫부분의 끈 사이에 끈이 지나가는 자리가 없습니다.
윗부분과 아랫부분을 연결할 수 있도록 옆면 4곳에 끈이 지나가는 자리를 그립니다.

7 $\dfrac{360°}{4} = 90°$이므로 3 cm만큼 움직이고 90°만큼 돌리기를 4번 반복하면 한 변의 길이가 3 cm인 정사각형이 그려집니다.
따라서 한 모서리의 길이가 3 cm인 정육면체의 겨냥도를 그립니다.

8

3주 4일

개념 돌파 전략❶ 개념 기초 확인 77, 79쪽

1-1 20, 21, 22, 23, 24, 25에 ○표

1-2 34, 35, 36에 ○표

2-1
```
├──┼──┼──┼──┼──┼──┼──◇──┼──┤
 33 34 35 36 37 38 39 40 41 42
```

2-2
```
├──┼──┼──◇──┼──┼──┼──┼──┼──┤
 16 17 18 19 20 21 22 23 24 25
```

3-1 0, 1800   3-2 0, 2300

4-1 $\dfrac{\boxed{100}}{\boxed{4}}$, 25   4-2 $\dfrac{\boxed{96}}{\boxed{4}}$, 24

5-1 ㉠   5-2 ㉡

6-1 $\dfrac{1}{2}$ 6-2 $\dfrac{1}{2}$

1-2 34 이상인 수는 34와 같거나 큰 수이므로 34와 34보다 큰 수에 모두 ○표 합니다.

2-2 19 미만인 수는 19보다 작은 수이고 19가 포함되지 않으므로 19에 ○로 표시하고 왼쪽으로 선을 긋습니다.

3-2 버림하여 백의 자리까지 나타내려면 백의 자리의 아래 수를 버려야 하므로 2307에서 07을 0으로 보고 버림합니다.

4-2 (반별 학생 수의 평균)$=\dfrac{(\text{학생 수의 합})}{(\text{반의 수})}$이므로

$\dfrac{25+26+23+22}{4}=\dfrac{96}{4}=24$(명)입니다.

5-2 주사위의 눈의 수는 1부터 6까지 있고 그중에서 6의 눈이 나올 가능성은 '~아닐 것 같다'입니다.

6-2 주머니에는 흰색 바둑돌과 검은색 바둑돌이 한 개씩 있으므로 검은색 바둑돌이 나올 가능성은 '반반이다'이고, 수로 표현하면 $\dfrac{1}{2}$입니다.

개념 돌파 전략❷ 80~81쪽

1

2 4개   3 720, 800

4 300   5 12자루

6 (   ) (○)

1 20 이상인 수는 20과 같거나 큰 수이고, 15 이하인 수는 15와 같거나 작은 수입니다.

2 43 초과인 수는 43보다 큰 수로 46.1, 50.8, 45.7, 54.2로 4개입니다.

3 십의 자리까지: 7<u>1</u>6 → 720
백의 자리까지: <u>7</u>16 → 800

4 329 → 300
└─ 2이므로 버림합니다.

5 (연필 수의 평균)
$=\dfrac{12+9+10+11+18}{5}=\dfrac{60}{5}=12$(자루)

6 주사위에는 7의 눈은 없으므로 주사위를 굴렸을 때 나온 눈의 수가 7일 가능성은 '불가능하다'입니다.

정답 및 풀이

필수 체크 전략❶ `82~85쪽`

필수 예제 01 초과, 미만

확인 1-1 이상, 이하　　**확인 1-2** 초과, 이하

필수 예제 02 5개

확인 2-1 5개　　　　**확인 2-2** 7개

필수 예제 03 ㉠

확인 3-1 ㉡　　　　　**확인 3-2** ㉢

필수 예제 04 5학년

확인 4-1 이한이네 모둠　**확인 4-2** 수빈

확인 1-1 32에 ●로 표시했으므로 32는 포함되고 오른쪽으로 선을 그었습니다.

➡ 32 이상인 수

37에 ●로 표시했으므로 37은 포함되고 왼쪽으로 선을 그었습니다.

➡ 37 이하인 수

따라서 32 이상 37 이하인 수입니다.

확인 1-2 5에 ○로 표시했으므로 5는 포함되지 않고 오른쪽으로 선을 그었습니다.

➡ 5 초과인 수

11에 ●로 표시했으므로 11은 포함되고 왼쪽으로 선을 그었습니다.

➡ 11 이하인 수

따라서 5 초과 11 이하인 수입니다.

확인 2-1 20 이상인 자연수는 20과 같거나 큰 자연수이므로 20, 21, 22, 23, 24, 25……입니다.

24 이하인 자연수는 24와 같거나 작은 자연수이므로 24, 23, 22, 21, 20……입니다.

➡ 공통으로 들어 있는 수를 찾으면 20, 21, 22, 23, 24이므로 5개입니다.

확인 2-2 22 초과인 자연수는 22보다 큰 자연수이므로 23, 24, 25, ……, 29, 30, 31…… 입니다.

30 미만인 자연수는 30보다 작은 자연수이므로 29, 28, 27, ……, 24, 23, 22…… 입니다.

➡ 공통으로 들어 있는 수를 찾으면 23, 24, 25, 26, 27, 28, 29이므로 7개입니다.

확인 3-1 ㉠ 10보다 크고 17보다 작은 수의 범위입니다.

㉡ 17과 같거나 크고 20과 같거나 작은 수의 범위입니다.

➡ 17을 포함하는 수의 범위는 ㉡입니다.

확인 3-2 ㉠ 10과 같거나 크고 19보다 작은 수의 범위입니다.

㉡ 9보다 크고 19와 같거나 작은 수의 범위입니다.

㉢ 8보다 크고 10보다 작은 수의 범위입니다.

➡ 9를 포함하는 수의 범위는 ㉢입니다.

확인 4-1 이한이네 모둠:

$$\frac{80+70+90}{3}=\frac{240}{3}=80(점)$$

서연이네 모둠:

$$\frac{72+86+70}{3}=\frac{228}{3}=76(점)$$

따라서 수학 점수의 평균이 더 높은 모둠은 이한이네 모둠입니다.

확인 4-2 상수: $\frac{140+126+160}{3}=\frac{426}{3}=142$ (cm)

수빈: $\frac{133+150+140}{3}=\frac{423}{3}=141$ (cm)

따라서 제자리멀리뛰기 기록의 평균이 더 짧은 사람은 수빈입니다.

필수 체크 전략 ❷　86~87쪽

1

```
+---+---+---+---+---+---+---+---+---+
10  11  12  13  14  15  16  17  18  19
```

2 할머니, 어머니, 형

3 13000, 12000, 12000

4 우희네 모둠, 1번　　**5** 14회

6 ㉢, ㉡, ㉤, ㉣, ㉠

---

1 12와 17에 각각 ○로 표시하고 12와 17 사이에 선을 긋습니다.

2 18과 같거나 큰 수를 찾으면 69, 46, 18이므로 우리 가족 중에서 투표할 수 있는 사람은 할머니, 어머니, 형입니다.

3 · 12244를 올림하여 천의 자리까지 나타내면 12244 → 13000입니다.
　· 12244를 버림하여 천의 자리까지 나타내면 12244 → 12000입니다.
　· 12244를 반올림하여 천의 자리까지 나타내면 12244 → 12000입니다.
　　└ 2이므로 버림합니다.

4 우희네 모둠: $\dfrac{13+17+12}{3}=\dfrac{42}{3}=14$(번)

재성이네 모둠: $\dfrac{18+11+10}{3}=\dfrac{39}{3}=13$(번)

➡ 우희네 모둠의 단체 줄넘기 평균이 14−13=1(번) 더 많습니다.

5 12+11+15+(윤아)=13×4,
38+(윤아)=52, (윤아)=14(회)

6 빨간색이 많이 색칠되어 있을수록 화살이 빨간색에 멈출 가능성이 높습니다. 빨간색이 많이 색칠되어 있는 회전판부터 차례로 ㉤ 확실하다, ㉣ ~일 것 같다, ㉢ 반반이다, ㉡ ~아닐 것 같다, ㉠ 불가능하다를 써넣습니다.

3주 03일

필수 체크 전략 ❶　88~91쪽

필수 예제 01 500, =, 500

확인 1-1 200, =, 200

확인 1-2 6100, <, 6120

필수 예제 02 11000원

확인 2-1 9200원

확인 2-2 9500원

필수 예제 03

확인 3-1

 또는

확인 3-2

필수 예제 04 1

확인 4-1 0

확인 4-2 $\dfrac{1}{2}$

확인 1-1 191을 올림하여 백의 자리까지 나타내면 191 → 200이고, 207을 버림하여 백의 자리까지 나타내면 207 → 200입니다. 어림한 수가 200으로 같습니다.

확인 1-2 6114를 버림하여 백의 자리까지 나타내면 6114 → 6100이고, 6114를 올림하여 십의 자리까지 나타내면 6114 → 6120입니다. 어림한 수의 크기를 비교하면 6100<6120입니다.

확인 2-1 두 사람이 가지고 있는 돈의 합은 6950+2230=9180(원)입니다. 9180원을 반올림하여 백의 자리까지 나타내면 십의 자리 숫자가 8이므로 올림하여 9200원으로 나타낼 수 있습니다.

정답 및 풀이

확인 2-2 두 사람이 가지고 있는 돈의 합은
4420＋5090＝9510(원)입니다.
9510원을 반올림하여 백의 자리까지 나
타내면 십의 자리 숫자가 1이므로 버림하
여 9500원으로 나타낼 수 있습니다.

확인 3-1 화살이 하늘색에 멈출 가능성이 가장 높으
므로 가장 넓은 부분에 하늘색을 색칠합니
다. 화살이 노란색과 분홍색에 멈출 가능
성이 같으므로 넓이가 같은 두 부분에 노
란색과 분홍색을 각각 색칠합니다.

확인 3-2 화살이 분홍색에 멈출 가능성이 가장 낮으
므로 가장 좁은 부분에 분홍색을 색칠합니
다. 화살이 하늘색에 멈출 가능성은 노란
색에 멈출 가능성의 2배이므로 더 좁은 부
분에 노란색을 색칠하고, 노란색을 색칠한
부분보다 넓이가 2배 넓은 부분에 하늘색
을 색칠합니다.

확인 4-1 수 카드 4장에 쓰여 있는 수는 홀수 0개,
짝수 4개입니다.
수 카드 4장 중에서 한 장을 뽑았을 때, 뽑은
카드에 쓰여 있는 수가 홀수일 가능성은
'불가능하다'이며 수로 표현하면 0입니다.

확인 4-2 수 카드 4장에 쓰여 있는 수는 짝수 2개,
홀수 2개입니다.
수 카드 4장 중에서 한 장을 뽑았을 때, 뽑은
카드에 쓰여 있는 수가 짝수일 가능성은
'반반이다'이며 수로 표현하면 $\frac{1}{2}$입니다.

필수 체크 전략 ❷   **92~93쪽**

1 밴텀급   **2** 51000원
3 4926   **4** 30분

5

불가능하다	반반이다	확실하다
○		
	○	

6 0

1 34 초과 36 이하인 수는 34보다 크고 36과 같
거나 작은 수이므로 36이 포함됩니다.
➡ 승규는 밴텀급입니다.

2 51400원 중에서 51000원을 1000원짜리 지폐
51장으로 바꿀 수 있고 남은 400원은 1000원
짜리 지폐로 바꿀 수 없으므로 1000원짜리 지
폐로 최대 51000원까지 바꿀 수 있습니다.

3 3504 → 4000   3710 → 4000
   └─5이므로 올림합니다.   └─7이므로 올림합니다.
4926 → 5000   4188 → 4000
   └─9이므로 올림합니다.   └─1이므로 버림합니다.

4 (일주일 동안 독서 시간의 합)
＝30＋25＋36＋40＋20＋29＋30＝210(분),
(요일의 수)＝6＋1＝7(일)
➡ 대우가 일주일 동안 독서한 시간의 평균은
210÷7＝30(분)입니다.

5 • 해는 서쪽으로 지기 때문에 오늘 저녁에 북쪽
으로 해가 질 가능성은 '불가능하다'입니다.
• 100원짜리 동전을 던졌을 때 그림 면과 숫자
면이 나올 수 있으므로 100원짜리 동전을 던
졌을 때 숫자 면이 나올 가능성은 '반반이다'입
니다.

6 통에서 구슬 1개를 꺼낼 때, 파란색 구슬을 꺼
내는 것은 불가능하므로 가능성을 수로 표현하
면 0입니다.

교과서 대표 전략 ❶　94~97쪽

대표 예제 01 2개

대표 예제 02 16

대표 예제 03 이상, 미만

대표 예제 04 4개

대표 예제 05 ㄹ

대표 예제 06 ㄴ

대표 예제 07 860, 861, 862, 863, 864, 865,
866, 867, 868, 869

대표 예제 08 올림, 9개

대표 예제 09 38 kg

대표 예제 10 모둠 1

대표 예제 11 호연, 상우

대표 예제 12 420개

대표 예제 13 기준

대표 예제 14

대표 예제 15 라

대표 예제 16 ㄴ, ㄱ, ㄷ

대표 예제 01 48과 같거나 큰 수는 49, 48로 2개입니다.

대표 예제 02 4 이상인 수 → ㉠=4
12 이하인 수 → ㉡=12
➡ ㉠＋㉡＝4＋12＝16

대표 예제 03 9와 같거나 크고 16보다 작은 자연수이므로 9 이상 16 미만인 자연수입니다.

대표 예제 04 ㉠ 28보다 크고 39보다 작은 자연수
➡ 29, 30, 31, 32, 33, 34, 35, 36, 37, 38

㉡ 34보다 크고 41보다 작은 자연수
➡ 35, 36, 37, 38, 39, 40
따라서 두 수의 범위에 모두 포함되는 수는 35, 36, 37, 38로 4개입니다.

대표 예제 05 올림하여 천의 자리까지 나타내면
㉠ 2001 → 3000 ㉡ 2524 → 3000
㉢ 3000 → 3000 ㉣ 3717 → 4000
입니다.

대표 예제 06 ㉠ 50382 → 50380
└─2이므로 버림합니다.

㉡ 50382 → 50400
└─8이므로 올림합니다.

㉢ 50382 → 50000
└─3이므로 버림합니다.

㉣ 50382 → 50000
└─0이므로 버림합니다.

➡ 50400＞50380＞50000이므로 가장 큰 것은 ㉡입니다.

대표 예제 07 86□에서 □의 자리에 0부터 9까지 들어간 수를 버림하여 십의 자리까지 나타내면 860이 됩니다.
➡ 860, 861, 862, 863, 864, 865, 866, 867, 868, 869

대표 예제 08 사탕 887개를 한 상자에 100개씩 담는다면 8상자에 800개를 담고 남은 87개를 담을 상자 1개가 더 필요합니다. 따라서 사탕 887개를 상자에 모두 담으려면 상자가 최소 9개 필요합니다.

대표 예제 09 $(평균)=\dfrac{43＋36＋37＋34＋40}{5}$
$=\dfrac{190}{5}=38 \,(kg)$

대표 예제 10 (모둠 1의 키의 평균)

$$=\frac{740}{5}=148\,(\text{cm}),$$

(모둠 2의 키의 평균)

$$=\frac{588}{4}=147\,(\text{cm})$$

➡ 키의 평균이 더 큰 모둠은 모둠 1 입니다.

대표 예제 11 (평균) $=\dfrac{14+10+11+13+12+12}{6}$

$$=\frac{72}{6}=12(\text{개})$$

➡ 12개보다 적게 맞힌 학생은 호연, 상우입니다.

대표 예제 12 (2주일 동안 민수가 푼 수학 문제 수)

$$=30\times14=420(\text{개})$$

대표 예제 13 유영: 오늘은 금요일이니까 내일은 토요일이야. ➡ 확실하다

민지: 지금은 낮 12시니까 1시간 후에는 11시가 될 거야.

➡ 불가능하다

기준: 노란색 구슬이 6개, 흰색 구슬이 1개 있는 주머니에서 구슬 1개를 꺼냈을 때 노란색일 거야.

➡ ~일 것 같다

대표 예제 14 내일 아침에 동쪽에서 해가 뜰 것입니다. ➡ 확실하다 ➡ 1

○×문제에서 ○라고 답했을 때 정답일 것입니다. ➡ 반반이다 ➡ $\dfrac{1}{2}$

대표 예제 15 전체가 빨간색인 라 회전판을 돌릴 때 화살이 파란색에 멈추는 것은 불가능합니다.

대표 예제 16 ㉠ 주사위의 눈의 수가 1, 2, 3이 나올 가능성 ➡ 반반이다

㉡ 주사위의 눈의 수가 10보다 큰 수로 나올 가능성 ➡ 불가능하다

㉢ 주사위의 눈의 수가 1, 2, 3, 4, 5, 6으로 나올 가능성 ➡ 확실하다

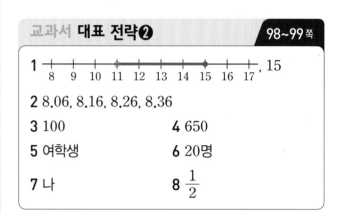

교과서 **대표 전략 ❷**　98~99쪽

1 ├──┼──┼──◇──┼──┼──┼──◆──┼──┼, 15
　 8　9　10　11　12　13　14　15　16　17

2 8.06, 8.16, 8.26, 8.36

3 100　　　　　　4 650

5 여학생　　　　　6 20명

7 나　　　　　　　8 $\dfrac{1}{2}$

1　11 초과는 경곗값이 포함되지 않으므로 11에 ○로, 15 이하는 경곗값이 포함되므로 15에 ● 로 표시하고 두 수 사이에 선을 긋습니다. 수의 범위에서 가장 큰 자연수는 15입니다.

2　자연수 부분이 8, 소수 둘째 자리 숫자가 6인 소수 두 자리 수는 8.■6이고, 8.46 미만인 수는 8.46보다 작은 수이므로 ■에 알맞은 수는 4보다 작은 수입니다. ➡ 8.06, 8.16, 8.26, 8.36

3　79135를 버림하여 백의 자리까지 나타내면 79135 → 79100입니다.

79135를 버림하여 천의 자리까지 나타내면 79135 → 79000입니다.

➡ 79100 − 79000 = 100

4　6 > 5 > 4이므로 가장 큰 세 자리 수를 만들면 654입니다. 654를 반올림하여 십의 자리까지 나타내면 654 → 650입니다.

└─ 4이므로 버립니다.

5 (남학생 성적의 합)

$=82+61+67+63+84+91+75+69+83$

$=675$(점)이고 남학생은 9명이므로

(평균)$=675÷9=75$(점)입니다.

(여학생 성적의 합)

$=94+61+78+63+74+85+81+72$

$=608$(점)이고 여학생은 8명이므로

(평균)$=608÷8=76$(점)입니다.

따라서 여학생의 성적이 더 좋습니다.

6 (5학년 학생 수)$=24×5=120$(명)

(1~4반 학생 수)$=26+25+24+25$

$=100$(명)

➡ (5반 학생 수)$=120-100=20$(명)

7 빨간색에 가장 많이 멈췄고, 파란색과 노란색에 멈춘 횟수는 비슷하므로 빨간색이 가장 넓고, 파란색과 노란색의 넓이가 비슷한 회전판을 찾으면 나입니다.

8 전체 구슬의 수는 $1+2+1=4$(개)이고, 검은색 구슬은 2개, 나머지 구슬은 $1+1=2$(개)입니다. ➡ 구슬 1개를 꺼낼 때 꺼낸 구슬이 검은색이 아닐 가능성은 '반반이다'이며 수로 표현하면 $\frac{1}{2}$입니다.

누구나 만점 전략
100~101 쪽

01 16, 28, 34, 25, 33에 ○표

02 520, 500　　**03** 6개

04 서울, 인천 ; 광주 ; 부산

05 윤기　　**06** 24개

07 유정이네 모둠, 1점

08

불가능하다	반반이다	확실하다
	○	
○		

09 ①, ②　　**10** ㉢

---

01 34 이하인 수는 34와 같거나 작은 수이므로 34와 34보다 작은 수에 모두 ○표 합니다.

02 • 십의 자리까지: 5<u>2</u>9 → 520

　　• 백의 자리까지: 5<u>2</u>9 → 500

03 7과 같거나 크고 13보다 작은 자연수는 7, 8, 9, 10, 11, 12로 6개입니다.

04 16 이하는 16과 같거나 작은 수이므로 15.6, 16인 서울, 인천이 포함됩니다.

17 초과 18 이하는 17보다 크고 18과 같거나 작은 수이므로 17.2인 광주가 포함됩니다.

18 초과는 18보다 큰 수이므로 18.7인 부산이 포함됩니다.

05 올림하여 천의 자리까지 나타내면

$31694 → 32000$입니다.

버림하여 십의 자리까지 나타내면

$31694 → 31690$입니다.

반올림하여 백의 자리까지 나타내면

$31694 → 31700$입니다.

└─ 9이므로 올림합니다.

따라서 잘못 말한 친구는 윤기입니다.

06 (구슬 수의 평균)$=\dfrac{30+26+12+28}{4}$

$=\dfrac{96}{4}=24$(개)

07 창기네 모둠:

$\dfrac{20+18+25+21}{4}=\dfrac{84}{4}=21$(점)

유정이네 모둠:

$\dfrac{25+25+13+25}{4}=\dfrac{88}{4}=22$(점)

➡ 유정이네 모둠의 득점의 평균이

$22-21=1$(점) 더 많습니다.

08 • 은행에서 뽑은 번호표의 번호는 짝수 또는 홀수이므로 홀수가 나올 가능성은 반반입니다.
• 5와 6을 더하면 11이므로 30이 될 가능성은 불가능합니다.

09 ①, ② 반반이다 ③ 불가능하다
④, ⑤ 확실하다

10 ⓒ 주머니는 검은색 바둑돌만 있으므로 흰색 바둑돌을 꺼낼 가능성은 불가능합니다.

창의·융합·코딩 전략❶ 102~103쪽

1 140 cm **2** 반반이다, $\dfrac{1}{2}$

---

1 144 → 140
└── 4이므로 버림합니다.

2 동전에는 숫자 면과 그림 면이 한 면씩 있으므로 그림 면이 나올 가능성은 '반반이다'이며 수로 표현하면 $\dfrac{1}{2}$입니다.

창의·융합·코딩 전략❷ 104~107쪽

1 8개 **2** 17에 ○표
3 (1) 77060원 (2) 77000원 (3) 70000원
4 $\dfrac{1}{2}$ **5** ⓒ
6 (1) 56 kg, 81 kg (2) 177 kg (3) 59 kg

---

1 21 초과인 수는 21보다 큰 수입니다. 21보다 큰 수는 30, 22, 25, 31로 4개이고, 공은 모두 12개입니다. 따라서 바구니에 담고 남은 공은 12-4=8(개)입니다.

2 12 이상 18 미만인 수는 12와 같거나 크고 18보다 작은 수입니다. 범위에 해당하는 좌석 번호는 12, 13, 14, 15, 16, 17이므로 가장 오른쪽에 있는 좌석 번호는 17입니다.

---

3 (1) 모은 돈은 모두
$500 \times 110 + 100 \times 204 + 50 \times 30 + 10 \times 16$
$= 55000 + 20400 + 1500 + 160$
$= 77060$(원)입니다.
(2) 77060을 버림하여 천의 자리까지 나타내면 77000이므로 천 원짜리 지폐로 77000원까지 바꿀 수 있습니다.
(3) 77060을 버림하여 만의 자리까지 나타내면 70000이므로 만 원짜리 지폐로 70000원까지 바꿀 수 있습니다.

4 회전판에서 노란색인 부분은 전체를 똑같이 8로 나눈 것 중의 4이므로 전체의 $\dfrac{4}{8} = \dfrac{1}{2}$입니다. 따라서 회전판을 돌렸을 때 화살이 노란색에 멈출 가능성은 '반반이다'이며 수로 표현하면 $\dfrac{1}{2}$입니다.

5 주사위 2개를 같이 던져서 나오는 경우는 36가지입니다. 그중에서 1, 2, 3, 4, 5, 6으로 같은 눈이 나오는 경우는 6가지입니다. 따라서 재성이의 말이 무인도에서 한 번에 탈출할 가능성은 '~아닐 것 같다'이므로 ⓒ입니다.

6 (1) 태인이의 몸무게는 40 kg이므로
(태인)+(어머니)=96, 40+(어머니)=96,
(어머니)=96-40=56 (kg)이고
(태인)+(아버지)=121, 40+(아버지)=121,
(아버지)=121-40=81 (kg)입니다.
(2) (태인이네 가족의 몸무게의 합)
=(태인)+(어머니)+(아버지)
=40+56+81=177 (kg)
(3) (평균)=177÷3=59 (kg)

신유형·신경향·서술형 **전략** 110~115쪽

1 ❶ 11권 ❷ 10권 ❸ 준우

2 ❶ $8\frac{2}{5}$ m ❷ $10\frac{2}{7}$ m ❸ 나

3 ❶ 가, 나, 마 ❷ 가, 나, 다 ❸ 2개

4 ❶ 142.5 cm² ❷ 15.4 cm² ❸ 127.1 cm²

5 ❶ 면 가 ❷ <u>9 cm, 4 cm</u> ❸ 36 cm²
  → 순서를 바꿔 써도 정답입니다.

6 ❶ 7 ℃ ❷ 11 ℃ ❸ 4 ℃

---

1 ❶ 16 이상 26 이하인 자연수는 16, 17, 18, 19, 20, 21, 22, 23, 24, 25, 26으로 모두 11개이므로 준우가 꺼낸 책은 모두 11권입니다.

참고
16 이상 26 이하인 자연수의 개수는
$26-16+1=11$이므로 11권입니다.

❷ 35 초과 46 미만인 자연수는 36, 37, 38, 39, 40, 41, 42, 43, 44, 45로 모두 10개이므로 태서가 꺼낸 책은 모두 10권입니다.

참고
35 초과 46 미만인 자연수의 개수는
$46-35-1=10$이므로 10권입니다.

❸ 11권>10권이므로 더 많은 책을 꺼낸 사람은 준우입니다.

2 ❶ 도형 가의 둘레는 $\frac{3}{5}$ m가 14개이므로
$\frac{3}{5}\times14=\frac{3\times14}{5}=\frac{42}{5}=8\frac{2}{5}$ (m)입니다.

❷ 도형 나의 둘레는 $\frac{4}{7}$ m가 18개이므로
$\frac{4}{7}\times18=\frac{4\times18}{7}=\frac{72}{7}=10\frac{2}{7}$ (m)입니다.

❸ $8\frac{2}{5}$ m<$10\frac{2}{7}$ m이므로 나의 둘레가 더 깁니다.

3 ❶ 한 직선을 따라 접었을 때 완전히 겹치는 도형을 모두 찾으면 가, 나, 마입니다.

❷ 어떤 점을 중심으로 180° 돌렸을 때 처음 도형과 완전히 겹치는 도형을 모두 찾으면 가, 나, 다입니다.

❸ 선대칭도형이면서 점대칭도형인 테트로미노는 가, 나로 모두 2개입니다.

4 ❶ (직사각형 ㄱㄴㅅㅂ의 넓이)
$=15\times9.5=142.5$ (cm²)

❷ (직사각형 ㄹㄷㅅㅁ의 넓이)
$=5.5\times2.8=15.4$ (cm²)

❸ (색칠한 부분의 넓이)
$=$(직사각형 ㄱㄴㅅㅂ의 넓이)
  $-$(직사각형 ㄹㄷㅅㅁ의 넓이)
$=142.5-15.4=127.1$ (cm²)

5

❶ 전개도를 접었을 때 면 바와 서로 마주 보는 면을 찾으면 면 가입니다.

참고
전개도를 접었을 때 서로 평행한 면은 서로 합동이므로 면 바와 서로 합동인 면을 찾으면 면 가입니다.

❷ 직육면체의 전개도를 접었을 때 겹치는 선분끼리 길이가 같습니다.

❸ 면 가는 가로가 9 cm, 세로가 4 cm인 직사각형이므로 넓이는 $9\times4=36$ (cm²)입니다.

참고
직육면체에서 서로 평행한 면끼리 서로 합동이므로 넓이도 서로 같습니다.
따라서 면 바의 넓이를 구해도 됩니다.

정답 및 풀이

6 ❶ $(6+6+5+8+8+9) \div 6$
$= 42 \div 6 = 7 \; (℃)$

❷ $(13+10+8+15+9+11) \div 6$
$= 66 \div 6 = 11 \; (℃)$

❸ 여섯 지역의 최고 기온의 평균은 최저 기온의 평균보다 $11-7=4 \; (℃)$ 더 높습니다.

학력진단 전략 1회　　116~119쪽

01 $4, \dfrac{\boxed{12}}{\boxed{5}}, 2\dfrac{\boxed{2}}{\boxed{5}}$

02 49, 49, 4, 196, 19.6

03 (1) $1\dfrac{4}{5}$ (2) $17\dfrac{1}{2}$

04 (1) 11.1 (2) 0.36 (3) 30.6

05 $7\dfrac{1}{2}$ 　　　　　**06** (1) $<$ (2) $<$

07 11.088, 1.1088

08 (1) 261.12 (2) 26.112

09 ㉡ 　　　　　**10** $\dfrac{25}{48}$

11 25장 　　　　　**12** $11\dfrac{1}{2}$ cm

13 59 　　　　　**14** 0.036 kg

15 45.92 cm² 　　　　**16** 126 cm²

17 ㉢ 　　　　　**18** $22\dfrac{1}{20}$

19 45시간 　　　　**20** $\dfrac{1}{28}$

---

01 $\dfrac{3}{5}$ 을 4번 더하면 $\dfrac{3}{5} \times 4 = \dfrac{3 \times 4}{5} = \dfrac{12}{5}$ 이고, 대분수로 나타내면 $2\dfrac{2}{5}$ 가 됩니다.

02 소수를 분수로 나타낸 후 분수의 곱셈으로 계산합니다. 소수 한 자리 수는 분모가 10인 분수로 바꿀 수 있습니다.

03 (1) $\overset{3}{\cancel{6}} \times \dfrac{3}{\underset{5}{\cancel{10}}} = \dfrac{3 \times 3}{5} = \dfrac{9}{5} = 1\dfrac{4}{5}$

(2) $15 \times 1\dfrac{1}{6} = \overset{5}{\cancel{15}} \times \dfrac{7}{\underset{2}{\cancel{6}}} = \dfrac{5 \times 7}{2}$

$= \dfrac{35}{2} = 17\dfrac{1}{2}$

04 (1) $3 \times 37 = 111 \Rightarrow 3 \times 3.7 = 11.1$
(2) $4 \times 9 = 36 \Rightarrow 0.4 \times 0.9 = 0.36$
(3) $51 \times 6 = 306 \Rightarrow 5.1 \times 6 = 30.6$

05 $6\dfrac{2}{3} \times 1\dfrac{1}{8} = \dfrac{\overset{5}{\cancel{20}}}{\underset{1}{\cancel{3}}} \times \dfrac{\overset{3}{\cancel{9}}}{\underset{2}{\cancel{8}}} = \dfrac{15}{2} = 7\dfrac{1}{2}$

06 (1) 어떤 수에 진분수를 곱하면 곱한 결과는 어떤 수보다 작습니다.

$\Rightarrow \dfrac{8}{9} \times \dfrac{9}{10} < \dfrac{8}{9}$

(2) 어떤 수에 대분수를 곱하면 곱한 결과는 어떤 수보다 큽니다.

$\Rightarrow 3\dfrac{4}{5} < 3\dfrac{4}{5} \times 2\dfrac{1}{5}$

07 곱하는 소수의 소수점 아래 자리 수가 하나씩 늘어날 때마다 곱의 소수점이 왼쪽으로 한 자리씩 옮겨집니다.
$1.54 \times 7.2 = 11.088$
$1.54 \times 0.72 = 1.1088$

08 (1) (자연수) × (소수 두 자리 수)
＝(소수 두 자리 수)
$\Rightarrow 816 \times 0.32 = 261.12$

(2) (소수 두 자리 수) × (소수 한 자리 수)
＝(소수 세 자리 수)
$\Rightarrow 8.16 \times 3.2 = 26.112$

09 ㉠ 6×0.87은 $6 \times 1 = 6$보다 조금 작습니다.

㉡ 2의 3.04는 2의 3배인 6보다 조금 큽니다.

㉢ 3의 1.9배는 3의 2배인 6보다 조금 작습니다.

10 $1\dfrac{1}{4} > \dfrac{5}{6}\left(= \dfrac{10}{12}\right) > \dfrac{5}{12}$이므로 가장 큰 수는

$1\dfrac{1}{4}$이고, 가장 작은 수는 $\dfrac{5}{12}$입니다.

➡ $1\dfrac{1}{4} \times \dfrac{5}{12} = \dfrac{5}{4} \times \dfrac{5}{12} = \dfrac{5 \times 5}{4 \times 12} = \dfrac{25}{48}$

11 $\overset{5}{\cancel{35}} \times \dfrac{5}{\underset{1}{\cancel{7}}} = 5 \times 5 = 25$(장)

12 $3\dfrac{5}{6} \times 3 = \dfrac{23}{\underset{2}{\cancel{6}}} \times \overset{1}{\cancel{3}} = \dfrac{23}{2} = 11\dfrac{1}{2}$ (cm)

13 $7.45 \times 8 = 59.6$이므로 $59.6 > \square$에서 $\square$ 안에 들어갈 수 있는 가장 큰 자연수는 59입니다.

14 $0.2 \times 0.18 = 0.036$ (kg)

15 (액자의 넓이)=(가로)×(세로)
$= 8.2 \times 5.6 = 45.92$ (cm²)

16 (평행사변형의 넓이)
=(밑변의 길이)×(높이)
$= 12\dfrac{3}{5} \times 10 = \dfrac{63}{\underset{1}{\cancel{5}}} \times \overset{2}{\cancel{10}}$
$= 63 \times 2 = 126$ (cm²)

17 ㉠ $3.2 \times 1.4 = 4.48$

㉡ $0.8 \times 5.7 = 4.56$

㉢ $2.6 \times 2.1 = 5.46$

➡ ㉢ $5.46 >$ ㉡ $4.56 >$ ㉠ 4.48

18 만들 수 있는 가장 큰 대분수: $8\dfrac{2}{5}$

만들 수 있는 가장 작은 대분수: $2\dfrac{5}{8}$

➡ $8\dfrac{2}{5} \times 2\dfrac{5}{8} = \dfrac{\overset{21}{\cancel{42}}}{5} \times \dfrac{21}{\underset{4}{\cancel{8}}}$
$= \dfrac{21 \times 21}{5 \times 4} = \dfrac{441}{20} = 22\dfrac{1}{20}$

19 6월은 30일까지 있습니다.

1시간 30분$= 1\dfrac{30}{60}$시간$= 1.5$시간이므로 6월

한 달 동안 석현이가 공부를 한 시간은 모두
$1.5 \times 30 = 45$(시간)입니다.

20 $\dfrac{\overset{1}{\cancel{3}}}{\underset{4}{\cancel{16}}} \times \dfrac{1}{\underset{1}{\cancel{3}}} \times \dfrac{\overset{1}{\cancel{4}}}{7} = \dfrac{1}{4} \times \dfrac{1}{7} = \dfrac{1}{28}$

학력진단 전략 2회 | **120~123쪽**

01 가

02 (1) 직사각형 (2) 정사각형

03 (1) 7 cm (2) 100°

04 다, 바 　　　　**05** 다

06 가, 나, 라, 바　　**07** 가, 다, 바

08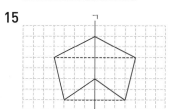

09 ④

10 3, 3, 1

11 소라

12

13 125°

14 28 cm

15

16

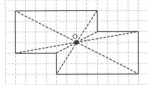

17 면 바

18 면 나, 면 다, 면 마, 면 바

19 ㉡, ㉢, ㉣

20 예 1 cm
1 cm

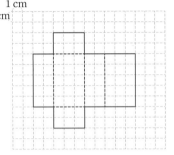

01 주어진 도형과 포개었을 때 완전히 겹치는 도형을 찾으면 가입니다.

02 직사각형 6개로 둘러싸인 도형을 직육면체라고 하고, 정사각형 6개로 둘러싸인 도형을 정육면체라고 합니다.

03 (1) 변 ㅇㅅ의 대응변은 변 ㄱㄴ이고, 합동인 두 도형에서 대응변의 길이는 서로 같으므로 변 ㅇㅅ은 7 cm입니다.

(2) 각 ㅁㅂㅅ의 대응각은 각 ㄹㄷㄴ이고, 합동인 두 도형에서 대응각의 크기는 서로 같으므로 각 ㅁㅂㅅ은 100°입니다.

04 직사각형 6개로 둘러싸인 도형을 모두 찾습니다.

05 정사각형 6개로 둘러싸인 도형을 찾습니다.

06 한 직선을 따라 접었을 때 완전히 겹치는 도형을 모두 찾습니다.

07 어떤 점을 중심으로 180° 돌렸을 때 처음 도형과 완전히 겹치는 도형을 모두 찾습니다.

08 한 직선을 따라 접어서 완전히 겹치는 도형을 선대칭도형이라 하고, 이때 그 직선을 대칭축이라고 합니다.

09 면 ㄷㅅㅇㄹ과 평행한 면은 면 ㄷㅅㅇㄹ과 서로 마주 보고 있는 면 ㄱㄴㅂㅁ입니다.

10

면의 수(개)		모서리의 수(개)		꼭짓점의 수(개)	
6		12		8	
보이는 면	보이지 않는 면	보이는 모서리	보이지 않는 모서리	보이는 꼭짓점	보이지 않는 꼭짓점
3	3	9	3	7	1

11 면과 면이 만나는 선분을 모서리라고 하고, 모서리와 모서리가 만나는 점을 꼭짓점이라고 합니다.

12 보이는 모서리는 실선으로, 보이지 않는 모서리는 점선으로 그립니다.

13 각 ㄱㅂㅁ의 대응각은 각 ㄹㄷㄴ이고, 점대칭도형에서 대응각의 크기는 서로 같으므로
(각 ㄱㅂㅁ)=(각 ㄹㄷㄴ)=125°입니다.

14 (변 ㄱㄴ)=(변 ㄹㅁ)=6 cm,
(변 ㅁㅂ)=(변 ㄴㄷ)=5 cm,
(변 ㄷㄹ)=(변 ㅂㄱ)=3 cm
➡ (점대칭도형의 둘레)=(6+5+3)×2
=14×2=28 (cm)

15 대응점을 모두 찾아 표시한 후 대응점을 차례로 이어 선대칭도형을 완성합니다.

16 각 점에서 대칭의 중심까지의 길이가 같도록 대응점을 모두 찾아 표시한 후 각 대응점을 차례로 이어 점대칭도형을 완성합니다.

17 전개도를 접었을 때 면 다와 마주 보는 면은 면 바입니다.

18 전개도를 접었을 때 면 가와 만나는 면은 면 나, 면 다, 면 마, 면 바입니다.

19 선대칭도형: ㉠ A ㉡ O ㉢ H ㉤ I ㉥ W
점대칭도형: ㉡ O ㉢ H ㉤ I ㉤ Z
따라서 선대칭도형이면서 점대칭도형인 알파벳은 ㉡ O, ㉢ H, ㉤ I입니다.

20 전개도를 접었을 때 마주 보는 면 3쌍의 모양과 크기가 같고 서로 겹치는 면이 없으며 만나는 모서리의 길이가 같도록 그립니다.

학력진단 전략 3회　124~127쪽

01 이상, 초과

02

03

; 46, 47, 48, 49, 50

04 1350 mL　　　　**05** 5일

06 270 mL　　　　**07** ③

08 3명　　　　**09** 26명

10 (왼쪽부터) ㉣, ㉤, ㉠, ㉢, ㉡

11 ②

12 29310, 29400, 30000

13 1600, 1500, 1500

14 준우　　　　**15** 1

16 가, 라, 다, 나　　**17** $\dfrac{1}{2}$

18 425, 435　　　**19** 5대

20 27000원

---

01 ■와 같거나 큰 수를 ■ 이상인 수라 하고, ■보다 큰 수를 ■ 초과인 수라고 합니다.

02 24와 같거나 큰 수에 ○표, 22보다 작은 수에 △표 합니다.
24 이상인 수: 30, 24, 28
22 미만인 수: 19, 20

03 수직선에서 초과는 ○로 나타내고, 이하는 ●로 나타냅니다.
초과는 경곗값을 포함하지 않고, 이하는 경곗값을 포함합니다.

04 $300+250+350+200+250=1350$ (mL)

05 지선이가 우유를 마신 날은 월요일부터 금요일까지 모두 5일입니다.

06 지선이가 월요일부터 금요일까지 마신 우유의 양을 모두 더해 요일의 수 5로 나누면 지선이가 하루에 마신 우유의 양의 평균을 구할 수 있습니다.
➡ $1350÷5=270$ (mL)

07 소민이의 윗몸 말아 올리기 횟수는 35회이므로 22회 초과 35회 이하 범위에 속합니다.
따라서 소민이의 윗몸 말아 올리기 등급은 3등급입니다.

08 4등급의 횟수 범위는 6회 초과 22회 이하이므로 6회보다 많고, 22회와 같거나 적게 한 학생을 찾으면 혜수(13회), 효선(15회), 은서(22회)로 모두 3명입니다.

09 (한 학급당 학생 수의 평균)
＝(전체 학생 수)÷(전체 학급 수)
＝$(28+26+27+24+25)÷5$
＝$130÷5=26$(명)

정답 및 풀이

10 일이 일어날 가능성의 정도는 가능성이 낮은 것부터 불가능하다, ~아닐 것 같다, 반반이다, ~일 것 같다, 확실하다로 표현할 수 있습니다.

11 상자에 들어 있는 바둑돌 중에서 흰색 바둑돌의 수가 검은색 바둑돌의 수보다 적으므로 흰색 바둑돌이 나올 가능성은 '~아닐 것 같다'입니다.

12 올림하여 십의 자리까지 나타내기:
29302 ➡ 29310
└─ 올림합니다.
올림하여 백의 자리까지 나타내기:
29302 ➡ 29400
└─ 올림합니다.
올림하여 천의 자리까지 나타내기:
29302 ➡ 30000
└─ 올림합니다.

13 올림: 1549 ➡ 1600
└─ 올림합니다.
버림: 1549 ➡ 1500
└─ 버림합니다.
반올림: 1549 ➡ 1500
└─ 버림합니다.

참고
구하려는 자리 바로 아래 자리 숫자가 0, 1, 2, 3, 4이면 버리고, 5, 6, 7, 8, 9이면 올려서 나타내는 방법을 반올림이라고 합니다.

14 • 두 모둠의 모둠 친구 수가 다르기 때문에 기록의 총 개수만으로 어느 모둠이 더 잘했다고 말할 수 없습니다.
• 두 모둠의 최고 기록만으로 어느 모둠이 더 잘했다고 말할 수 없습니다.

15 주사위 눈의 수 중 6 이하인 수는 1, 2, 3, 4, 5, 6으로 전부입니다. 따라서 주사위를 한 번 굴릴 때, 주사위 눈의 수가 6 이하일 가능성은 '확실하다'이므로 수로 표현하면 1입니다.

16 초록색 부분의 넓이가 넓은 것부터 순서대로 기호를 씁니다.
➡ 가(~일 것 같다) > 라(반반이다)
   > 다(~아닐 것 같다) > 나(불가능하다)

17 카드 6장 중 ☆이 그려진 카드는 3장이므로 ☆이 그려진 카드를 뽑을 가능성은 '반반이다'입니다.
따라서 수로 표현하면 $\frac{1}{2}$입니다.

18 일의 자리에서 올림하여 어림한 수를 만든 경우와 일의 자리에서 버림하여 어림한 수를 만든 경우를 알아봅니다.
반올림하여 십의 자리까지 나타낼 때 430이 되는 수는 425와 같거나 크고, 435보다는 작은 수이므로 어떤 수가 될 수 있는 범위는 425 이상 435 미만입니다.

19 귤 455상자를 트럭 한 대당 100상자씩 싣는다면 트럭 4대에 100상자씩 싣고 남은 55상자를 실을 트럭 한 대가 더 필요합니다.
따라서 귤 455상자를 트럭에 모두 실으려면 트럭이 최소 5대가 필요합니다.

20 1000원보다 적은 금액은 1000원짜리 지폐로 바꿀 수 없으므로 버림을 이용해야 합니다.
27590을 버림하여 천의 자리까지 나타내면 27000이므로 1000원짜리 지폐로 바꾸면 최대 27000원까지 바꿀 수 있습니다.

다른 풀이
27590원을 1000원짜리 지폐로 바꾸면 27장까지 바꾸고 590원이 남습니다.
즉, 1000원짜리 지폐로 바꿀 수 있는 돈은 최대 27000원입니다.

수학 문제해결력 강화 교재

2021 신간

AI인공지능을 이기는 인간의 **독해력** + **창의·사고력 UP**

수학도
독해가 힘이다

새로운 유형

문장제, 서술형, 사고력 문제 등
까다로운 유형의 문제를
쉬운 해결전략으로 연습

취약점 보완

연산·기본 문제는 잘 풀지만,
문장제나 사고력 문제를 힘들어하는
학생들을 위한 맞춤 교재

체계적 시스템

문제해결력 – 수학 사고력 –
수학 독해력 – 창의·융합·코딩으로
이어지는 체계적 커리큘럼

수학도 독해가 필수!
(초등 1~6학년/학기용)

정답은
이안에
있어！